Elogio da loucura

Dados Internacionais de Catalogação na Publicação (CIP)
(Câmara Brasileira do Livro, SP, Brasil)

Roterdã, Erasmo de, 1466-1536.
Elogio da loucura / Erasmo de Roterdã; tradução de Gentil Avelino Titton. – Petrópolis, RJ : Vozes, 2015. – (Vozes de Bolso)

Título original: Moriae encomium – stultitiae laus

1ª reimpressão, 2021.

ISBN 978-85-326-4989-8

1. Erasmo de Roterdã, 1466-1536 2. Filosofia moderna 3. Sátira latina, medieval e moderna I. Título. II. Série.

15-01228 CDD-190

Índices para catálogo sistemático:

1. Erasmo : Filosofia moderna 190

Erasmo de Roterdã

Elogio da loucura

Tradução de Gentil Avelino Titton

Vozes de Bolso

Tradução realizada a partir do original em greco-latino
intitulado *Moriae Encomium – Stultitiae Laus*

A partir da edição base: www.thelatinlibrary.com/
erasmus/moriae/shtml

Rua Frei Luís, 100
25689-900 Petrópolis, RJ
www.vozes.com.br
Brasil

Editoração: Gleisse Dias dos Reis Chies
Diagramação: Sheilandre Desenv. Gráfico
Capa: visiva.com.br
Ilustração de capa: ©Tondemich/Dreamstime

ISBN 978-85-326-4989-8

Editado conforme o novo acordo ortográfico.

Este livro foi composto e impresso pela Editora Vozes Ltda.

Erasmo de Roterdã
a seu amigo Tomás Morus,
saudações.

Nestes últimos dias, ao viajar da Itália para a Inglaterra, tive que passar muito tempo sentado no lombo de um cavalo. Não querendo perder todo esse tempo em fábulas banais das quais as musas não participam, preferi meditar sobre alguns pontos dos nossos estudos comuns ou recordar os sábios e agradáveis amigos que deixei. Entre estes, tu, meu caro Morus, vinhas por primeiro à minha mente. Tua lembrança, embora estivesses ausente, me causava tanto prazer em minha ausência como outrora a tua presença familiar. E juro que nunca experimentei algo mais deleitável em toda a minha vida. Querendo, portanto, ocupar-me com alguma coisa, e como as circunstâncias não se prestavam a uma reflexão séria, resolvi divertir-me compondo um Elogio da Loucura.

Mas, dirás tu, que Palas pôs isto em tua cabeça? Em primeiro lugar foi teu gentil sobrenome Morus, que está tão próximo do vocábulo Loucura (*Moria*) quanto tua pessoa está longe dela; e todos concordam que és seu maior adversário. Em segundo lugar, imaginei que este tipo de pilhéria de minha mente obteria tua aprovação, porque costumas deleitar-te com este tipo de gracejos, que não me parecem incultos nem insípidos, e porque, no decurso ordinário da vida, representas o papel de um Demócrito. Certamente a perspicácia de teu pensamento te afasta muito do comum dos homens; no entanto, tua incrível afabilidade e doçura de temperamento te levam a comportar-te com todos como um homem para todas as horas e gostas de fazê-lo. Por conseguinte, não só receberás com benevolência esta pequena arenga como lembrança de teu amigo, mas também aceitarás defendê-la, já que, sendo dedicada a ti, ela não é mais minha e sim tua.

Talvez não faltarão os caluniadores, que me acusarão dizendo que estas ninharias são em parte mais levianas do que convém a um teólogo, e em parte mais mordazes do que convém à modéstia cristã; e, por conseguinte, espalharão aos quatro ventos que ressuscito a antiga comédia ou algum Luciano e dilacero todo mundo a dentadas. Mas os que se ofendem com a leviandade do assunto e o tom de brincadeira deveriam refletir que não trago nenhuma inovação. Grandes autores já o fizeram antigamente. Há muitos séculos Homero divertiu-se com a Batracomiomaquia, a luta entre as rãs e os ratos; Virgílio Maro com o mosquito e a amoreira; Ovídio com a nogueira; Polícrates fez o elogio de Busíris, mais tarde impugnado e corrigido por Isócrates; Glauco elogiou a injustiça; Favorino enalteceu Térsites e a febre quartã; Sinésio brincou com a calvície; Luciano com a mosca parasita; Sêneca ridicularizou a apoteose de Cláudio; Plutarco zombou do diálogo entre o grilo e Ulisses; Luciano e Apuleio divertiram-se com seu asno; e não sei quem brincou com o testamento de um porquinho chamado Grunnius Corocotta, do qual até São Jerônimo faz menção. Por isso, se meus censores quiserem, imaginem que joguei xadrez para me distrair ou, se preferirem, que montei um cabo de vassoura.

Se a cada caminho de vida são permitidos seus divertimentos, é uma injustiça não permitir nenhum divertimento aos que se dedicam ao estudo, sobretudo se os gracejos levam a coisas sérias, e as tolices são tratadas de tal maneira que o leitor, se tiver um pouco de faro, pode tirar mais proveito delas do que de muitas dissertações graves e pomposas. Um, com um discurso longamente elaborado, tece um elogio da retórica ou da filosofia; outro faz o panegírico de um príncipe; outro ainda exorta a guerrear contra os turcos; outro prediz o futuro e outro se põe a refletir sobre questões ridículas. Nada é mais frívolo do que tratar assuntos sérios frivolamente; e nada é mais agradável do que aproveitar as futilidades para coisas sérias. Deixo aos outros que julguem a meu respeito; se bem que, se o amor-próprio não me engana, creio ter feito o elogio da Loucura, mas não de maneira completamente louca.

Aos que me acusariam de ser mordaz, responderei que às pessoas inteligentes sempre foi permitida a liberdade de zombar impunemente da vida comum dos homens, contanto que esta licença não descambe para a raiva. Admiro a delicadeza dos ouvidos deste tempo, que não admitem mais do que uma linguagem carregada de solene bajulação. Vemos muitos religiosos às avessas, que toleram mais facilmente as maiores injúrias contra Cristo do que o mais simples gracejo contra o papa ou o príncipe, sobretudo se comem à mesa deles.

Se alguém critica assim a vida dos homens sem nomear nenhum em particular, pergunto se ele de fato morde, ou antes ensina e aconselha. De resto, não estou eu fazendo constantemente minha própria crítica? Além disso, se alguém não poupa nenhum tipo de homens, ele não está censurando nenhum homem em particular, mas os vícios de todos. Portanto, se aparecer alguém que afirma ter sido ofendido, é porque ele se reconhece culpado ou pelo menos mostra que está com medo.
Neste ponto, São Jerônimo gracejou com

mais liberdade e mais mordacidade, às vezes sem poupar os nomes. Mas eu, além de abster-me totalmente de citar nomes, moderei meu estilo para que o leitor sensato perceba facilmente que minha intenção foi antes deleitar do que morder. Também não remexi, a exemplo de Juvenal, a cloaca dos vícios ocultos, mas procurei expor mais as coisas ridículas do que as torpes. E se resta alguém que estas razões não conseguem apaziguar, pelo menos lembre-se que não é desonra ser repreendido pela Loucura; pois foi a ela que dei a palavra, mantendo todos os traços de sua personagem.

Mas por que discorrer sobre estas coisas para ti, um advogado tão excelente que defende com perfeição seu cliente, mesmo nas causas menos favoráveis. Adeus, eloquente Morus, e defende intrepidamente tua *Moria*.

Do campo, 9 de junho [1508]

Elogio da loucura

A loucura fala

1. Seja o que for que os mortais digam de mim – e eu não ignoro o quanto se fala mal da Loucura, mesmo entre os mais loucos –, sou eu, e somente eu, quem alegra os Deuses e os homens com meus favores divinos. Uma prova suficiente disto é que bastou eu me apresentar para falar diante deste numeroso auditório para os olhos de todos brilharem com uma nova e insólita alegria. Logo vosso semblante se desanuviou e me aplaudistes com um amável sorriso. Na verdade, ao contemplar-vos agora, parece-me ver-vos embriagados com o néctar dos deuses de Homero, misturado com um pouco de nepente, ao passo que antes eu vos via sentados tristes e inquietos, como que recém-saídos da caverna de Trofônio.

Quando o formoso sol matinal lança sobre a terra seus belos e dourados raios, ou quando, após um rigoroso inverno, a doce primavera sopra os suaves zéfiros, imediatamente todas as coisas adquirem uma nova face, tudo rejuvenesce com novas cores; da mesma forma, logo que me vistes, vossa fisionomia se transformou. Aquilo que grandes oradores conseguem a duras penas e com longos e estudados discursos, ou seja, dissipar o tédio da mente, eu o consegui num instante com a minha simples presença.

2. O motivo por que me apresento hoje com este traje insólito, logo o sabereis se me prestardes atenção; não a atenção que prestais aos pregadores sacros, mas a que costumais prestar aos charlatães, bufões e palhaços nas praças, e a que nosso Midas prestou outrora ao deus Pã. Deu-me vontade de bancar a Sofista por um momento diante de vós, mas não como os que hoje enchem as cabeças dos jovens com tolices enfadonhas e lhes ensinam a discutir com mais obstinação do que as mulheres; mas imitarei aqueles antigos que, para evitar o desacreditado título de Sábios (*sophoi*), preferiram chamar-se Sofistas, dedicando-se a tecer elogios aos deuses e aos heróis. Ouvireis, portanto, um elogio, não de Hércules nem de Sólon, mas o meu próprio, ou seja, o elogio da Loucura.

3. Deixemos de lado os sábios que tacham de louco e insolente quem faz seu próprio elogio. Se isto é ser louco, eles têm toda a razão. O que há de melhor para a Loucura do que trombetear ela própria seus méritos e cantar sua glória! Quem me descreverá melhor do que eu própria? A não ser que alguém me conheça melhor do que eu mesma. Aliás, acredito mostrar nisto mais modéstia do que os nobres e sábios em geral. Estes, movidos por um falso pudor, costumam subornar um panegirista adulador ou um poeta mentiroso e lhe pagam para ouvir seus elogios, ou seja, puras mentiras. No entanto, esse recatado personagem abre as plumas como um pavão e levanta a crista quando o impudico adulador equipara aos deuses um homem de nada; quando o apresenta como modelo perfeito de todas as virtudes, sabendo que ele é justamente o contrário; quando adorna esta gralha com penas emprestadas; quando embranquece a

pele deste etíope; quando faz deste mosquito um elefante. Afinal de contas, sigo o velho provérbio que diz: "Tem razão em louvar-se a si mesmo aquele que não encontra ninguém para louvá-lo".

Espanta-me, entretanto, a ingratidão dos mortais, ou melhor, sua negligência! Todos me veneram profundamente e se deleitam com meus benefícios e, apesar disto, há tantos séculos nenhum mostrou seu agradecimento celebrando o elogio da Loucura, quando não faltou quem gastasse muito óleo e sono escrevendo pomposos elogios aos Busíris, aos Fálaris, à febre quartã, às moscas, à calvície e a todo gênero de pestes. De mim ouvireis um discurso improvisado e menos elaborado, mas tanto mais sincero.

4. Não penseis que este discurso foi feito para ostentar meus talentos, como faz a maioria dos oradores. Estes, como sabeis, tomam um discurso que levou trinta anos para ser elaborado, e que nem sempre é obra deles, e juram que gastaram três dias para escrevê-lo como diversão, ou mesmo para ditá-lo. Quanto a mim, sempre tive um grande prazer em dizer tudo o que me vem à língua.

Ninguém espere que, segundo o costume dos retóricos vulgares, eu apresente uma definição de mim mesma e muito menos qualquer divisão. Não farei nada semelhante. Não convém pôr limites ou divisões àquela cuja divindade é universal e à qual todas as coisas sobre a terra prestam homenagem. Por que então apresentar-vos uma definição ou uma descrição de mim mesma, se estou em vossa presença e me contemplais com vossos olhos? Pois eu sou, como vedes, a verdadeira dispensadora dos favores, que os latinos denominam *Stultitia* e os gregos *Moria*.

5. Nem precisava dizer-vos tudo isto, já que meu simples aspecto basta para revelar-vos quem eu sou. E se alguém quisesse tomar-me por Minerva ou pela Sabedoria, eu o desiludiria sem palavras, com um simples olhar, que é o espelho menos mentiroso da alma. Não uso disfarce, não simulo no rosto o que não trago no coração. Em todo lugar sou igual a mim mesma; não ponho a máscara dos que se arrogam a aparência e o título de sábios e desfilam como macacos vestidos de púrpura e asnos cobertos com pele de leão. Por mais que se disfarcem, as orelhas sobressalentes revelam um Midas oculto.

Raça ingrata de homens! São meus fiéis seguidores, mas em público sentem tanta vergonha de meu nome que o aplicam aos outros como ofensa. Estes são os mais loucos, os *morotatoi*, arquiloucos, que querem passar por sábios iguais a Tales. Não deveríamos chamá-los *morosophoi*, os sábios-loucos?

6. Assim imitaríamos os retóricos de nosso tempo, que se acreditam deuses por usar uma dupla língua, como as sanguessugas, e consideram algo maravilhoso inserir em seu discurso latino algumas palavrinhas gregas como um mosaico, embora totalmente fora de propósito. Se lhes faltam palavras estrangeiras, tiram de algum pergaminho carcomido quatro ou cinco palavras antigas e obsoletas que confundem o leitor, de modo que os que as entendem se envaidecem cada vez mais e os que não as entendem tanto mais as admiram quanto menos as entendem. Com efeito, as pessoas de nossa terra encontram o máximo prazer

em admirar aquilo que lhes é sumamente estranho. Os mais ambiciosos e interesseiros entre eles riem e aplaudem e mexem as orelhas como os asnos, para mostrar aos outros que entenderam: "Muito bem! É isto mesmo!" Mas voltemos ao nosso assunto.

7. Tendes, portanto, o meu nome, Senhores... Que epíteto acrescentar? Qual melhor do que arquiloucos? Que título mais apropriado a deusa Loucura poderia conceder a seus iniciados? Mas, como muitos ignoram minha origem, procurarei informar-vos com o auxílio das Musas.

Nem o Caos, nem Orco, nem Saturno, nem Jápeto, nem nenhum destes deuses obsoletos e bolorentos foi meu pai. Nasci de Pluto, a despeito de Hesíodo e Homero e até do próprio Júpiter, pai dos homens e dos Deuses. Um simples gesto dele, antigamente como hoje, transtorna completamente todas as coisas sagradas e profanas. Ele regula a seu capricho as guerras, a paz, os impérios, os conselhos, os tribunais, as assembleias, os matrimônios, os tratados, as alianças, as leis, as artes, os divertimentos, as coisas sérias... falta-me o fôlego... Numa palavra: todos os negócios públicos e privados dos mortais. Sem sua ajuda, toda a turba das divindades poéticas, melhor dizendo, até mesmo os grandes Deuses, não existiriam ou certamente levariam uma vida muito difícil em casa. Se alguém o irritou, nem Palas em pessoa poderá ajudá-lo. Pelo contrário, quem goza de seu favor pode desafiar o próprio Júpiter com seu raio. Este é meu pai, e dele eu me vanglorio. Ele não me gerou de seu cérebro, como Júpiter gerou esta triste e feroz Palas; mas me fez nascer de Neotetes, a Juventude, a mais bela e alegre de todas as ninfas. Entre eles não houve nenhum laço do deplorável matrimônio como o que produziu o ferreiro coxo Vulcano, mas somente o comércio do amor, como diz nosso Homero, o que é infinitamente mais doce. E para que não vos enganeis: quem me gerou não foi aquele Pluto de Aristófanes, um velho já decrépito e cego, mas um Pluto ainda em plena força e no fogo da juventude, e não só embalado por sua juventude, mas também pelo néctar que certamente havia bebido em grandes doses no banquete dos Deuses.

8. Se perguntardes pelo lugar de meu nascimento, já que hoje a nobreza depende sobretudo do lugar onde alguém deu seus primeiros vagidos, dir-vos-ei que não foi nem na ilha flutuante de Delos, nem no mar ondulado, nem nas cavernas profundas, mas nas Ilhas Afortunadas, onde as colheitas são obtidas sem arar nem semear. Nelas não existe nem trabalho, nem velhice, nem doença; nos campos não se vê nem asfódelos, nem malvas, nem cebolas, nem tremoços ou favas, ou outro tipo de plantas comuns. Mas de todos os lados alegram os olhos e as narinas a arruda, a panaceia, a nepentes, a manjerona, a ambrósia, o lótus, a rosa, a violeta, o lírio, todo o jardim de Adônis. E, nascida no meio destas delícias, não saudei a vida com lágrimas, mas logo sorri graciosamente para minha mãe. Não invejo ao poderoso filho de Cronos a cabra que o amamentou, pois fui amamentada nos seios de duas charmosas ninfas: a Embriaguez (Methe), filha de Baco, e a Ignorância (Apaedia), filha de Pã. Podeis reconhecê-las aqui no grupo de minhas companheiras e seguidoras. Mas, quanto aos nomes, só os direi em grego.

9. Esta que vedes com ar arrogante é Filautia (o Amor-próprio). Esta de olhos sorridentes e aplaudindo com as mãos chama-se Kolakia (a Adulação). Esta que parece dormitar é Lethe (o Esquecimento). Esta apoiada sobre os dois cotovelos e com as mãos cruzadas chama-se Misoponia (a Preguiça). A que está coroada de rosas e toda perfumada é a Hedone (a Volúpia). Esta de olhar indeciso e errante chama-se Anoia (a Demência). Esta que tem a pele macia e brilhante e um corpo farto tem o nome de Tryphe (a Lascívia). Como vedes, entre estas jovens estão dois deuses: um é Komos (a Intemperança) e o outro Negretos Hypnos (o Sono Profundo, Morfeu). Com o auxílio destes fiéis servidores sujeito todas as coisas ao meu domínio e reino até sobre os reis.

10. Conheceis assim minha origem, minha educação e meus companheiros e companheiras. Agora, para não parecer que arrogo sem motivo o título de Deusa, vou revelar-vos quantos benefícios prodigalizo aos Deuses e aos homens, e até onde se estende o meu poder. Abri bem os vossos ouvidos.

Alguém escreveu com razão que é próprio de um deus ajudar os homens, e merecidamente foram admitidos à assembleia dos Deuses os que ensinaram aos mortais o uso do vinho, do trigo e de outras utilidades semelhantes. Por que, então, não reconhecer-me como o Alfa de todos os Deuses, eu que prodigalizo tudo a todos?

11. Em primeiro lugar, o que pode haver de mais doce e mais precioso do que a própria vida? E a quem se deve o seu começo, senão a mim?
Não é a lança de Palas filha de um pai forte,

nem o escudo de Júpiter que amontoa as nuvens, que engendram o gênero humano e o propagam. O próprio pai das divindades e rei dos homens, que faz tremer todo o Olimpo com um sinal da cabeça, é obrigado a recolher seu raio de três pontas e mudar seu semblante titânico que aterroriza os Deuses, e assumir uma pobre máscara como um comediante, cada vez que ele quer fazer o que muitas vezes ele faz: gerar filhos.

Os estoicos se julgam próximos dos Deuses. Mas apresentai-me alguém que seja três ou quatro ou mil vezes estoico; mesmo que não raspe a barba, símbolo de sabedoria que ele tem em comum com o bode, certamente deverá depor a arrogância, desenrugar a fronte, abdicar de seus princípios rígidos e por algum tempo falar tolices e delirar. Em suma, é a mim, somente a mim, que o sábio irá recorrer, se quiser ser pai.

E por que não dizer-vos as coisas claramente, como é meu costume? Dizei-me: O que gera os Deuses e os homens é a cabeça, o rosto, o peito, a mão ou a orelha, partes reputadas honestas? De modo nenhum! O que propaga o gênero humano é aquela parte tão estúpida e tão ridícula que não pode ser nomeada sem provocar riso. É desta fonte sagrada, mais que dos quaternos pitagóricos, que todos os seres haurem a vida.

E depois, pergunto eu, que homem submeteria seu pescoço ao jugo do matrimônio, se, como costumaram fazer os nossos sábios, calculasse antes os inconvenientes deste estado de vida? Ou que mulher juntar-se-ia a um homem, se pensasse nos perigos do parto e nos trabalhos e incômodos da educação? Portanto, se deveis a vida ao matrimônio, deveis o matrimônio à Demência, minha criada. Vede o quanto me sois devedores. E qual mulher que passou por isso quererá repeti-lo, se não estiver presente minha companheira chamada Esquecimento? Pense Lucrécio o que quiser, nem a própria Vênus irá negar que, sem meu concurso divino, sua força é imperfeita e inútil.

Portanto, deste meu jogo ridículo entre pessoas embriagadas provêm os arrogantes filósofos, hoje sucedidos pelos vulgarmente denominados monges, e os reis cobertos de púrpura, os piedosos sacerdotes e os pontífices três vezes santos. E, finalmente, toda esta multidão de deuses da poesia, cuja multidão é tão grande que o próprio Olimpo, embora muito espaçoso, mal consegue conter.

12. Mas não basta mostrar-vos que deveis a mim o princípio e a fonte da vossa vida, é preciso acrescentar que tudo o que há de bom na vida é dádiva minha.

Com efeito, o que seria esta vida, e será que ela mereceria este nome, se faltasse o prazer? Vossos aplausos confirmam que digo a verdade. Com efeito, eu sabia que nenhum de vós é suficientemente sábio, ou suficientemente louco – ou melhor dizendo: suficientemente sábio – para ser de outra opinião. Os próprios estoicos não desdenham absolutamente o prazer, mas sabem dissimular muito bem: se lançam mil injúrias contra ele diante da plebe, é para dissuadir os outros e poderem gozá-lo mais abundantemente. Mas, por Júpiter! Digam que momento da vida não seria triste, desagradável, infeliz, insípido, enfadonho, se não temperado pelo prazer, ou seja, pelo condimento da loucura? Para isto posso invocar uma testemunha idônea, o nunca assaz louvado Sófocles, que fez o seguinte elogio a meu respeito: "Quanto menos se sabe, tanto mais encantadora é a vida". Mas examinemos a questão mais detalhadamente.

13. Em primeiro lugar, quem não sabe que a infância é a idade mais alegre e mais agradável da vida? Se nós beijamos as crianças, as abraçamos, as acariciamos, se até um inimigo lhes presta socorro, não é porque existe nelas a sedução da Loucura? De propósito a prudente natureza muniu com ela os recém-nascidos, para que suavizem as fadigas dos que os educam e conquistem a proteção dos encarregados de cuidar delas. A idade que sucede a infância é a adolescência. Como todos a amam, a favorecem, a promovem e lhe estendem a mão para socorrê-la! Donde vem este encanto dos jovens, senão de mim? Eu lhes poupo a razão e, ao mesmo tempo, a preocupação. Será que minto? Quando crescem, e pela experiência e pelo estudo começam a adquirir um aspecto varonil, logo a beleza murcha, a vivacidade decai, o encanto esfria, o vigor diminui. À medida que o homem se afasta de mim, a vida o abandona cada vez mais, até chegar o peso da velhice, incômoda tanto para os outros como para ela mesma. E nenhum mortal suportaria esta velhice, se novamente eu não viesse em socorro de tantas misérias.

E assim como os deuses dos poetas costumam salvar da morte através de alguma metamorfose, eu trago de volta à meninice os que estão próximos do túmulo. Por isso, costuma-se dizer que eles voltaram a ser crianças. Se alguém quiser saber como faço para realizar esta transformação, não tenho motivo para não dizê-lo. Levo meus anciãos à fonte de minha ninfa Letes que brota nas

Ilhas Afortunadas (a dos Infernos é apenas um pequeno riacho); ali eles bebem os longos esquecimentos, lavam aos poucos suas inquietudes e penas e rejuvenescem.

Mas, alegar-se-á, estes já deliram, já caducam. É verdade. Mas justamente isto é voltar à infância. Ser criança não é justamente delirar, caducar? O que mais alegra nesta idade não é precisamente o fato de a criança não saber nada? Quem não odeia e detesta como um pequeno monstro a criança que tem a sabedoria de um adulto? De acordo com o conhecido provérbio: "Odeio na criança a sabedoria precoce".

Quem suportaria manter relações e amizade com um ancião que acrescentasse à sua experiência completa da vida uma igual força de espírito e agudeza do raciocínio? É graças a mim, portanto, que o ancião delira. Meu ancião delirante escapa aos males que atormentam o sábio. É um alegre companheiro de copo. Não sente o tédio da vida, que a idade mais robusta quase não consegue suportar. Às vezes ele retorna às três famosas letras de Plauto [A.M.O.], o que o tornaria muito infeliz se estivesse em seu juízo. No entanto, ele é feliz graças a mim, agradável para os amigos e bom companheiro de passatempo. De acordo com Homero, da boca de Nestor fluem palavras mais doces do que o mel, enquanto o discurso de Aquiles exala amargor; e o poeta mostra ainda anciãos sentados nos muros da cidade entretendo-se com palavras floridas. Nisto a velhice leva vantagem sobre a primeira infância, pois esta, por mais amável que seja, carece do prazer supremo da vida, que é tagarelar.

Acrescentemos que os velhos adoram as crianças e as crianças adoram os velhos, pois os semelhantes se atraem. Eles só diferem pelas rugas e pelo número de anos. Cabelos brancos, falta de dentes, corpo miúdo, gosto pelo leite, balbucio, tagarelice, bobagens, falta de memória, travessuras, tudo os aproxima. Quanto mais os homens se aproximam da velhice tanto mais retornam à infância, até terminarem seus dias como verdadeiras crianças, sem guardar rancor da vida e sem sentir a morte.

14. Ousemos agora comparar estes meus benefícios com as metamorfoses realizadas pelos outros deuses. Deixo de lado o que fizeram num acesso de cólera; mesmo seus melhores protegidos, eles costumam transformá-los numa árvore, num pássaro, numa cigarra, ou até numa serpente, como se mudar de forma não equivalesse a morrer! Eu, porém, reconduzo o homem ao período melhor e mais feliz de sua vida. Se os mortais se abstivessem de todo comércio com a sabedoria e viessem passar toda a sua vida sempre comigo, não conheceriam o tédio da velhice e gozariam o prazer da eterna juventude.

Não vedes estas pessoas carrancudas, entregues ao estudo da filosofia ou aos árduos negócios, a maioria delas já envelhecida antes de completar a juventude, porque as preocupações e a contínua agitação do pensamento vão aos poucos esgotando o sopro e sugando a seiva da vida? Meus loucos, pelo contrário, são gordinhos e reluzentes, de pele brilhante, verdadeiros porcos da Acarnânia, como se diz, e nunca sentirão os achaques da velhice, a não ser que se deixem contagiar pelos sábios. E isto acontece porque é difícil para um homem ser completamente feliz. E disto dá um testemunho importante o provérbio que diz: “A Loucura é a única coisa que conserva a juventude fugaz e afasta a velhice lastimável".

E isto se verifica entre as pessoas de Brabante, das quais se diz: "Aos outros homens a idade costuma trazer sabedoria; estes, quanto mais se aproximam da velhice, tanto mais loucos se tornam". Contudo, não há nenhum povo onde as relações são mais agradáveis e as pessoas são menos sensíveis às tristezas da velhice. Bem próximos deles, tanto pelas fronteiras quanto pelo modo de viver, estão os meus holandeses. Por que não chamá-los de meus, se tanto me veneram a ponto de merecerem o apelido de "loucos da Holanda" e, em vez de se envergonharem, disto se vangloriam?

Ide agora, mortais insensatos, pedir às Medeias, às Circes, às Vênus, às Auroras e sei lá a quais outras fontes, que vos restituam a juventude. Sei que só eu posso e costumo concedê-la. Detenho o maravilhoso elixir com o qual a filha de Mémnon prolongou a juventude de seu avô Titono. Eu sou aquela que Vênus devolveu a Faonte a juventude de tal modo que Safo se apaixonou por ele. Por minhas ervas, se é que existem tais ervas, por meus encantamentos, por minha fonte, a juventude que fugiu retorna e, o que é mais desejável, permanece para sempre. Se concordais que nada é melhor do que a juventude e nada é mais detestável do que a velhice, vede o quanto me sois devedores, a mim que conservo tão grande bem e afasto tão grande mal.

15. Mas deixemos de falar dos mortais. Percorrei toda a vastidão do Céu, e admitirei que meu nome seja considerado uma injúria se encontrardes um só deus que não seria desagradável e desprezível sem os meus favores. Por que Baco

é sempre o eterno jovem de longos cabelos? É porque ele, louco e ébrio, passa a vida em banquetes, danças, cantos e jogos, sem nenhum comércio com Palas. Ele tem tão pouco interesse em passar por sábio que o culto que lhe agrada são os gracejos e zombarias. E não se ofende com o adágio que o declara "mais louco do que Morychos". Este nome de Morychos vem da estátua dele sentado à entrada do seu templo, que os agricultores costumavam lambuzar com mosto e figos frescos. Quantas chacotas não recebeu ele da antiga comédia! "Deus estúpido, dizia-se, e digno de nascer de uma coxa". Mas quem não prefere ser este deus tolo e estúpido, sempre alegre, sempre jovem, trazendo sempre a todos alegria e prazer, a ser um Júpiter astuto e terrível para todos, ou o velho Pã que semeia a desordem em todo lugar, ou Vulcano coberto de cinzas e sempre sujo com o trabalho de sua forja, ou a própria Palas de olhar sinistro e que ameaça com sua Górgona e sua lança! Por que Cupido é sempre criança? Por quê? Porque é galhofeiro e não faz e nem pensa nada de sensato. Por que a beleza da Vênus dourada é uma eterna primavera? Porque ela pertence à minha família e traz no rosto a cor de meu pai, pelo que Homero a chama de Afrodite dourada. Além disso, está sempre sorrindo, se dermos crédito aos poetas e aos escultores, seus êmulos. Que divindade, enfim, foi mais venerada pelos romanos do que Flora, mãe de todos os prazeres?

Se estudarmos atentamente, em Homero e nos outros poetas, como se comportam os deuses mais severos, encontraremos em toda a parte muitos traços de loucura. Por que mencionar as trapaças de outros, quando conheceis muito bem os amores e divertimentos do próprio Júpiter, senhor do trovão? E a austera Diana, que esquece seu sexo e não faz mais do que caçar, morre de amores por Endimião. Eu preferiria que Momo lhes dissesse suas proezas, o que antigamente lhe acontecia com bastante frequência. Mas eles se irritaram e o precipitaram sobre a terra junto com Ate, a Fatalidade, porque importunava a felicidade dos deuses com suas admoestações. E nenhum dos mortais acolherá o exilado, e sobretudo não será acolhido na corte dos príncipes: minha seguidora Adulação reina ali e suas relações com Momo são tão cordiais como as que existem entre lobo e cordeiro.

Depois de expulsá-lo, os Deuses se divertem mais e com muito mais liberdade. Levam uma vida fácil, como diz Homero, sem ninguém para repreendê-los. Como os faz rir aquele Príapo de figueira! Como se divertem com os furtos e imposturas de Mercúrio! O próprio Vulcano é o bufão habitual em seus banquetes: ora com seu andar claudicante, ora com seus escárnios, ora com suas piadas, faz todos os convivas morrerem de rir. E também Sileno, o velho lascivo, dança o córdax com o pesado Polifemo ao som da lira, enquanto o coro das Ninfas dança a gimnopédia. Os sátiros, com pernas de bode, representam as farsas atelanas. Pã, com alguma canção idiota, faz todos rebentarem de rir, e eles preferem seu canto aos das Musas, sobretudo quando o néctar já começa a subir-lhes à cabeça. Como contar o que fazem após o banquete os deuses embriagados? São coisas tão loucas e extravagantes que eu às vezes não consigo conter o riso. Mas, neste ponto, é melhor calar-se como Harpócrates, para que algum deus bisbilhoteiro não nos ouça falar coisas que o próprio Momo não pôde dizer impunemente.

16. Mas já é tempo de, à maneira de Homero, deixar os habitantes do céu e voltar à terra, onde não se encontra alegria nem felicidade que não se deva a mim. Vede, em primeiro lugar, com quanta previdência a Natureza, mãe e artífice do gênero humano, cuidou de deixar em tudo um tempero de loucura. De acordo com os estoicos, a Sabedoria consiste em deixar-se guiar pela razão e a Loucura em deixar-se levar pelas paixões. Para que a vida dos homens não fosse completamente triste e enfadonha, Júpiter deu-lhes muito mais paixões do que razão, na proporção de cem por um. Além disso, relegou a razão a um cantinho estreito da cabeça, deixando todo o resto do corpo às paixões. Em seguida, a esta razão isolada ele opôs dois tiranos violentos: a Cólera, que domina a cidadela do peito e a própria fonte da vida que é o coração, e a Concupiscência, cujo império se estende até as partes pudendas. O que pode a razão contra estas duas forças reunidas? A experiência comum dos homens mostra: ela só pode gritar até enrouquecer e proclamar as leis da honestidade e da virtude. Mas eles caçoam de sua rainha, gritam mais alto e a insultam, até que ela, cansada de guerra, se dá por vencida.

17. Mas o homem, nascido para administrar os negócios do mundo, precisava receber mais do que uma pequena fração de razão. Júpiter consultou-me sobre este ponto como sobre os outros e eu logo lhe dei um conselho digno de mim: o de acrescentar a mulher ao homem. Ela é um animal louco e insensato, mas ao mesmo tempo gracioso e amável, que, na convivência doméstica, suavizaria e adoçaria com sua loucura a aspereza do gênio masculino.

Quando Platão parece hesitar em classificar a mulher entre os animais racionais ou entre os brutos, não quis outra coisa senão indicar a insigne loucura deste sexo. Se uma mulher quiser passar por sábia, nada mais faz do que ser duplamente louca. Seria como levar um asno para a escola, o que seria contra a natureza. Agrava o vício quem, contra a natureza, o cobre com a máscara da virtude e força seu talento. De acordo com o provérbio grego: "O macaco é macaco, mesmo vestido de púrpura". Assim a mulher é sempre mulher, ou seja, louca, seja qual for a máscara que usar.

Não creio que o gênero feminino seja tão louco a ponto de zangar-se comigo pelo fato de eu atribuir-lhes a loucura, eu que sou mulher e a própria LOUCURA. Pensando bem, é justamente este dom da loucura que permite às mulheres serem, em muitos aspectos, mais felizes do que os homens. Elas têm, em primeiro lugar, a vantagem da beleza, que elas com razão põem acima de tudo e que lhes permite tiranizar os próprios tiranos. O homem tem os traços rudes, a pele rugosa e cabeluda, a barba espessa e um aspecto senil, tudo isso devido ao vício da sabedoria; as mulheres, com as faces sempre lisas, a voz sempre doce, a pele delicada, parecem possuir a eterna juventude. Além disso, o que mais desejam nesta vida senão agradar o mais possível aos homens? Não é esta a razão de tantas vestes, tanta maquiagem, tantos banhos, tantos penteados, tantos unguentos, tantos perfumes, toda essa arte de arrumar-se, pintar-se, embelezar o rosto, os olhos e a pele? Não é justamente a loucura a melhor carta de recomendação para os homens? Eles permitem tudo às mulheres. E com qual outro propósito senão o do prazer? Mas elas não o dão senão pela loucura. Para convencer-se desta verdade basta pensar nas tolices que o homem conta à mulher, nos desvarios que comete por ela, sempre que resolve conquistar-lhe o prazer feminino.

Sabeis agora qual é o primeiro e maior deleite da vida e donde ele procede.

18. Mas existem alguns, sobretudo de mais idade, que são mais amigos do copo do que das mulheres e encontram a suprema felicidade nos festins e bebedeiras. Deixo que outros julguem se é possível um lauto banquete sem a presença de mulheres. Eu, de minha parte, afirmo que nenhum será agradável sem o condimento da loucura. Se não houver alguém que provoque o riso com sua loucura verdadeira ou simulada, contrata-se um bufão qualquer ou um papa-jantares engraçado, que com seus chistes ridículos, ou seja, loucos, expulse o silêncio e o tédio do banquete. Para que encher o estômago com tantas iguarias, doces e guloseimas, se os olhos, os ouvidos e o espírito todo não se alimentam de riso, brincadeiras e galhofas? Toda esta parte do serviço é organizada unicamente por mim. Todas estas brincadeiras que se fazem nos banquetes, como sortear um rei da mesa, lançar os dados, convidar para o brinde, cantar e beber alternadamente, passar o ramo de murta depois do canto, dançar, fazer pantomimas, não foram inventadas pelos sete sábios da Grécia, mas por mim, para a felicidade do gênero humano. E o que as caracteriza é que, quanto mais contêm de loucura, tanto mais encantam a existência dos mortais. Se a vida fosse triste, não mereceria o nome de vida. E somente por estes divertimentos ela escapa da tristeza e de seu primo, o tédio.

19. Alguns talvez desdenhem este tipo de prazer e se contentem com a ternura e a

familiaridade dos amigos. A amizade, dizem eles, deve ser preferida a todas as coisas do mundo e não é menos necessária que o ar, o fogo e a água. É tão agradável que tirá-la do meio dos homens seria roubar-lhes o sol. Enfim, é tão recomendável e honesta – se isto vem a propósito – que os próprios filósofos não recearam inscrevê-la entre os maiores bens. E se eu mostrar que sou o princípio e o fim de tão grande bem? Minha demonstração não usará sofismas, silogismos capciosos ou outras argúcias da dialética; fá-lo-ei toscamente e vós ireis, por assim dizer, tocá-la com o dedo.

Vejamos. Conivência, equívocos, cegueira, ilusão a respeito dos defeitos dos amigos, apreciar alguns dos seus defeitos mais notórios e considerá-los virtudes, não é isto estar próximo da loucura? Um beija a sarda da amante, outro acaricia a verruga no nariz de sua amada, um pai diz que seu filho vesgo tem olhos de Vênus. Não é isto verdadeira loucura? Podemos dizer e repetir que é loucura; e é esta loucura que une os amigos e mantém a união.

Falo aqui do comum dos mortais, que nascem todos com defeitos e o melhor entre eles é o que tem os menores. Mas entre esta espécie de deuses que são os sábios, não existe nenhuma amizade e, se ela acontece, é triste e desagradável; e muito poucos se ligam por laços de amizade, para não dizer nenhum. Sabemos que em sua maior parte os homens são insensatos e todos, sem exceção, deliram de alguma maneira. E a amizade se estabelece entre semelhantes. Se alguma vez uma simpatia mútua chega a unir estes espíritos severos, ela permanece instável, efêmera, entre pessoas enfadonhas e excessivamente clarividentes, que enxergam os defeitos dos outros com um olhar tão penetrante como o da águia ou o da serpente de Epidauro. Para os próprios defeitos eles são míopes e não ignoram a sacola que trazem pendurada nas costas. Já que por natureza nenhum homem está isento de grandes defeitos e já que existem imensas diferenças de idade e educação, tantos passos em falso, erros, acidentes da vida mortal, como poderiam os sábios - esses Argos perspicazes - desfrutar uma hora de amizade, se não interviesse o que os gregos chamam de Euetheia, que nós poderíamos traduzir por loucura ou por condescendência. E então? Cupido, o autor e pai de todos os laços, não é totalmente cego? Assim como aquilo que é feio lhe parece belo, não consegue ele fazer com que cada um de vós considere belo o que lhe pertence, e que o velho adore sua velha como a menina adora sua boneca? Estas coisas acontecem em todo lugar e as pessoas riem delas; mas são estas coisas ridículas que tornam a vida agradável e constituem o elo da sociedade.

20. O que foi dito da amizade aplica-se muito mais ao matrimônio, que na verdade é a união inseparável para toda a vida. Deuses imortais! Quantos divórcios ou coisas piores do que o divórcio aconteceriam todos os dias, se a vida doméstica do homem e da mulher não fosse sustentada e alimentada pela adulação, pela brincadeira, pela condescendência, pela ilusão, pela dissimulação, enfim por todo o meu cortejo! Ah! Como seriam poucos os matrimônios, se o noivo se informasse cuidadosamente sobre os divertimentos e as proezas praticadas pela jovem virgem, de feições delicadas e pudicas, muito antes das núpcias! E, dos matrimônios consumados, quão poucos se manteriam, se as muitas façanhas das mulheres não permanecessem ocultas devido à negligência

ou estupidez dos maridos! Tudo isto é atribuído à Loucura, porque é por ela que a mulher agrada ao marido, que o marido agrada à sua mulher, que a casa se mantém em paz e que o laço conjugal não é rompido. Zomba-se do marido, chamando-o de corno e outros nomes, enquanto enxuga com beijos as lágrimas da adúltera. Mas é muito melhor ser enganado assim do que atormentar-se com o ciúme e fazer de tudo uma tragédia!

21. Em suma, sem mim nenhuma sociedade é agradável e nenhuma união pode ser duradoura. O povo não suportaria por muito tempo seu príncipe, o senhor não suportaria seu servo, a criada não suportaria a patroa, o mestre não suportaria o aluno, o amigo não suportaria o amigo, a esposa não suportaria o marido, o anfitrião não suportaria seu hóspede, o soldado não suportaria seu camarada, o comensal não suportaria seu companheiro de mesa, se não se mantivessem um ao outro na ilusão, se não houvesse entre eles uma adulação recíproca, uma conivência prudente, enfim, um pouco do mel da Loucura.

Sei que isto vos parece o máximo que se poderia dizer. Mas ouvireis coisas ainda maiores.

22. Dizei-me se o homem que odeia a si mesmo é capaz de amar alguém; se alguém que está em desacordo consigo mesmo é capaz de entender-se com alguém; se quem está triste e entediado consigo mesmo pode ser agradável aos outros. Penso que ninguém dirá isto, a não ser que seja mais louco do que a própria Loucura. Ora, se me excluírem da sociedade, ninguém será capaz de suportar seus semelhantes e todos sentirão

nojo e ódio de si mesmos. A Natureza, muitas vezes mais madrasta do que mãe, semeou na mente dos mortais, especialmente aqueles um pouco mais inteligentes, o descontentamento consigo e a admiração pelos outros. Isto corrompe e destrói todos os dons, toda graça e a beleza da vida. Para que serve a beleza, dom supremo dos Deuses imortais, se ela for contaminada pelo vício da afetação? Para que serve a juventude, se for corrompida pelo fermento do tédio senil? Em todas as tuas ações, deves observar o decoro tanto contigo mesmo quanto com os outros (agir com decoro é o princípio não só das artes, mas de todas as ações da vida) e isto só é impossível graças à presença desta feliz Filautia que me serve de irmã, pois em toda parte colabora diligentemente comigo. O que há de mais louco para um homem do que agradar a si mesmo e admirar a si mesmo? Mas o que podes fazer de belo, agradável e decente, se estás descontente contigo mesmo? Suprimido este sal da vida, o discurso do orador esfria, o músico não agrada com suas melodias, o comediante com seus gestos é vaiado, riem do poeta e de suas Musas, o pintor com sua arte é desprezado, o médico passa fome com seus medicamentos. O belo Nireu será tomado por Tersites, o jovem Faonte por Nestor, Minerva por uma porca, o eloquente orador por uma criança, o fino cidadão por um homem grosseiro. É necessário que cada um se lisonjeie a si mesmo e se aplauda primeiro para poder ser aplaudido pelos outros!

Afinal, se a maior felicidade consiste em desejar ser o que se é, minha boa Filautia o facilita plenamente. Ela faz com que ninguém se envergonhe de seu rosto, nem de seu gênio, nem de seu berço, nem de sua condição, nem de seu modo de viver, nem de sua pátria. Tanto que o irlandês não deseje ser confundido com um italiano, um trácio com um ateniense, um cita com um habitante das Ilhas Afortunadas. Oh extraordinária solicitude da natureza, que numa tão grande variedade fez desaparecer as desigualdades! Se para alguém foi avarenta com seus dons, costuma dar-lhe um pouco mais de amor-próprio e eu sou tão louca a ponto de afirmar que esse dom vale por todos os outros.

Ouso afirmar que não existe nenhum feito brilhante que não provenha de minha inspiração, e nenhuma arte exímia de que eu não seja a autora.

23. Não é a guerra a seara e a fonte de todos os feitos insignes e louvados? Porém, o que há de mais louco do que empreender, não sei por que motivo, este gênero de luta, quando cada lado sempre perde mais do que ganha? Há os que caem na batalha, como os habitantes de Megara; estes não contam para nada. Mas, quando se enfrentam os exércitos com armas de ferro, quando soa o canto rouco das trombetas, para que servem, eu vos pergunto, estes sábios, consumidos pelo estudo e com sangue fraco e frio, que mal conseguem respirar? Precisa-se de homens robustos e rudes, que tenham o máximo de ousadia e o mínimo de intelecto. A não ser que se prefira o soldado Demóstenes, que, dócil aos conselhos de Arquíloco, ao ver o inimigo, jogou fora o escudo para fugir. Era tão covarde como soldado quanto sábio como orador. Mas, dir-se-á, a inteligência tem na guerra um papel muito importante. Concordo que é importante no comandante, mas é a inteligência de um militar e não a de um filósofo. A nobre guerra é feita por parasitas, rufiões, ladrões, assassinos, lavradores, imbecis, endividados, enfim pela escória da humanidade e não por filósofos esclarecidos.

24. Para ver como estes são inaptos para os negócios comuns da vida, podemos tomar o exemplo do próprio Sócrates, o sábio por excelência de acordo com o oráculo pouco sábio de Apolo. Pretendendo falar em público sobre não sei que assunto, teve que calar e retirar-se diante do riso geral. Mas mostra que não é tão tolo quando recusa o título de sábio, atribuindo-o a Deus somente, e quando aconselha ao sábio não intrometer-se nos negócios públicos. Talvez teria sido melhor se ensinasse que, para ser contado entre os homens, é preciso abster-se da sabedoria. Não foi precisamente a sabedoria que o levou a ser acusado e condenado a beber a cicuta? Enquanto filosofava sobre as nuvens e as ideias, enquanto media as patas da pulga, enquanto observava o zumbido dos mosquitos, não aprendeu nada referente às coisas comuns da vida.

E eis que seu discípulo Platão, excelente advogado, disposto a salvá-lo da morte, aturdido pelos gritos da multidão, só consegue pronunciar a metade da primeira frase. E o que dizer de Teofrasto, que subiu à tribuna para falar e de repente emudeceu como se tivesse visto um lobo? Teria ele inspirado coragem aos soldados na guerra? Isócrates era tão tímido que nunca ousou abrir a boca. Marcos Túlio, pai da eloquência romana, costumava começar os discursos com um tremor estranho, como se fosse uma criança soluçando. Fábio Quintiliano vê nisto a marca do orador prudente, que tem consciência do perigo. Ao dizer isto, não está confessando publicamente que a sabedoria é um obstáculo para a boa administração dos negócios? O que farão com a espada na mão estes homens que morrem de medo quando a luta é com palavras nuas?

Depois disto, exalta-se – os Deuses me perdoem! – a famosa máxima de Platão: “Felizes as repúblicas onde os filósofos governam ou os governantes são filósofos!" Mas, se consultardes a história, vereis que não houve governantes mais funestos para o Estado do que aqueles dedicados à filosofia ou à literatura. Atesta-o muito bem, em minha opinião, o exemplo dos dois Catões: um perturbou a paz da república com suas acusações extravagantes e o outro, defendendo com demasiada sabedoria a liberdade do povo romano, arruinou-a completamente. Acrescentemos a eles os Brutos, os Cássios, os Gracos e o próprio Cícero, que causou tanto dano à república de Roma quanto Demóstenes à de Atenas. Admitamos que Marco Antônio foi um bom imperador, embora eu tenha minhas dúvidas, porque foi insuportável e odioso aos olhos dos cidadãos pelo fato de ser um grande filósofo. Mas, se foi um bom imperador, certamente foi maior o mal que causou à república pelo filho que deixou do que o bem que causou por suas qualidades de administrador. Como este gênero de homens que se dedica ao estudo da sabedoria costuma ser sumamente infeliz em tudo, e principalmente em sua progênie, penso que a previdência da natureza impede que se alastre demasiadamente este mal da sabedoria. Como se sabe, Cícero teve um filho degenerado e o sábio Sócrates teve filhos que, como observou muito bem um autor, assemelharam-se mais à mãe do que a ele, ou seja, foram loucos.

25. Suportar-se-ia que essas pessoas se comportassem nas funções públicas como asnos diante de uma lira, se não se mostrassem desastrados em todos os atos da vida. Convidai um sábio para um banquete e ele estragará a festa com seu silêncio melancólico ou com questões sem

importância e enfadonhas. Convidai-o para dançar, e dir-se-ia que é um camelo saracoteando. Levai-o ao teatro, e basta seu semblante para arrefecer o público que se diverte e o obrigarão a sair da sala, como aconteceu com o sábio Catão por não poder deixar seu ar carrancudo e arrogante.

Se entra numa conversa, de repente todos se calam, porque "falou no diabo apontou o rabo". Quando se trata de comprar alguma coisa, fazer um contrato ou qualquer atividade própria da vida cotidiana, este sábio é um poste e não um homem. Não é útil nem para si, nem para a pátria, nem para os amigos, porque ignora as coisas comuns da vida e a opinião popular e os usos correntes lhe são totalmente estranhos. Esta tão grande dessemelhança de vida e mente atrai necessariamente o ódio contra ele. Com efeito, tudo entre os mortais não está cheio de Loucura, não é feito por loucos e para loucos? Se alguém quiser ir contra o sentimento geral, eu o aconselharia a imitar Tímon e retirar-se para algum deserto a fim de ali desfrutar sozinho sua sabedoria.

26. Voltando ao meu assunto: O que reuniu nas cidades aqueles homens insensíveis, rudes e selvagens a não ser a adulação? Este é o significado da lira de Anfião e de Orfeu. O que trouxe de volta à concórdia a plebe romana sublevada, pronta para a extrema violência? Por acaso o discurso filosófico? Absolutamente. Foi a ridícula e pueril fábula da revolta dos membros do corpo contra o estômago. Temístocles teve o mesmo sucesso com uma fábula semelhante, a da Raposa e o ouriço. Que palavra de um sábio teria produzido tanto efeito como a corça inventada por Sertório, como a ridí-

cula fábula de Licurgo sobre os dois cães, e como a ficção sobre maneira de arrancar os pelos da cauda do cavalo? Sem falar de Minos e Numa, que governaram a louca multidão com suas ficções fabulosas. Com este tipo de tolices é conduzida a enorme e poderosa fera que é o povo.

27. Novamente, que cidade adotou as leis de Platão ou Aristóteles ou as doutrinas de Sócrates? Quem convenceu os Décios a dedicar-se espontaneamente aos deuses Manes? O que levou Marco Cúrcio a precipitar-se no abismo, senão a vanglória, uma encantadora Sereia condenada por estes sábios. "O que há de mais louco, dizem eles, do que um candidato bajular o povo, comprar seu sufrágio com donativos, caçar os aplausos de tantos loucos, comprazer-se com as aclamações, fazer-se carregar em triunfo como uma estátua a ser contemplada pelo povo, ou ter uma estátua de bronze na praça? Acrescente-se a ostentação de nomes e sobrenomes, as honras divinas prestadas a um pobre ser humano, as cerimônias públicas que elevam os mais execráveis tiranos à categoria de deuses. São coisas tão loucas que seria necessário mais de um Demócrito para zombar delas". Quem o nega? E, no entanto, desta fonte brotaram os feitos dos grandes heróis, que as penas de tantos homens eloquentes elevam até às nuvens. Esta loucura faz nascer as cidades e sustenta os impérios, as magistraturas, a religião, os conselhos, os tribunais. Numa palavra, toda a vida humana não passa de um jogo da Loucura.

28. Falemos agora das artes e ofícios. O que estimulou a inteligência dos mortais a conceber e transmitir à posteridade tantos conhe-

cimentos considerados excelentes senão a sede de glória? Foi à força de vigílias e suores que estes homens, na verdade extremamente loucos, acreditaram comprar não sei que tipo de reputação, que é a mais inútil das coisas. No entanto, deveis à loucura todas as preciosas comodidades da vida e, o que é muito mais agradável, é graças a ela que desfrutais a loucura dos outros.

29. E agora, depois de ter reivindicado a glória da coragem e do engenho humanos, que tal reivindicar também os méritos da prudência? Mas, dirá alguém, seria como misturar água com fogo. Espero, porém, convencer-vos se me ouvirdes com a mesma atenção mostrada até agora.

Em primeiro lugar, se a prudência depende da experiência, a honra deste título cabe mais ao sábio que nada empreende, em parte por modéstia e em parte por timidez de caráter, ou ao louco que não se detém diante de nada, por carecer de modéstia e não ter medo do perigo? O sábio se refugia nos livros dos antigos e ali não aprende senão sutilezas de palavras. O louco, enfrentando de perto as realidades e os perigos, adquire, a meu ver, a verdadeira prudência. Homero o viu muito bem, apesar de cego, quando diz: "O tolo aprende às próprias custas". São dois os obstáculos principais para o conhecimento das coisas: a modéstia, que ofusca a mente, e o medo, que diante do perigo dissuade de agir. Mas a loucura nos livra deles magnificamente. Poucos mortais compreendem a imensa vantagem de jamais hesitar e tudo ousar.

Se a prudência consiste na exata apreciação das coisas, ouvi o quanto se afastam dela os que se gabam deste nome. Em primeiro lugar, é evidente que todas as coisas humanas têm, como os Silenos de Alcibíades, duas faces muito diferentes. A face exterior indica a morte; mas, olhando o interior, vê-se a vida; e inversamente. A beleza esconde a feiura; a riqueza esconde a indigência; a infâmia esconde a glória; o saber esconde a ignorância; o que parece forte é fraco; o que parece de nobre linhagem é vil; o que parece alegre é triste; a prosperidade esconde a desgraça; a amizade esconde o ódio; o que parece sadio se mostra nocivo. Em suma, abri o Sileno e encontrareis o contrário do que ele mostra.

Se isto vos parece demasiado filosófico, falarei de maneira mais tosca e clara. Quem não vê o rei como um personagem rico e poderoso? Mas, se não tem nenhuma qualidade espiritual, e não está satisfeito com o que possui, ele é o mais pobre dos homens. Se seus vícios são numerosos, não passa de um vil escravo. Poderíamos estender o raciocínio às demais coisas, mas este exemplo é suficiente. Aonde queres chegar? – perguntará alguém. Vou dizer aonde quero chegar. Se alguém, à vista dos comediantes representando seu papel no palco, tenta arrancar-lhes a máscara para mostrar aos expectadores seu rosto natural, não irá estragar toda a peça e não mereceria esse doido ser expulso do teatro a pedradas? Seu ato vem mudar todas as aparências: a mulher da cena revela-se um homem; o jovem logo se torna um velho; o que há pouco era rei de repente é escravo; o Deus é de repente um pobre homem. Retirar esta ilusão seria alterar toda a comédia. Este disfarce e caracterização é precisamente o que encanta os olhos dos espectadores. Na verdade, toda a vida dos mortais não é senão uma comédia, na qual cada um anda com sua máscara e desempenha seu papel, até que o corego os tira de cena. Muitas vezes ele confia a um mesmo ator papéis muito diferentes, de modo que alguém que vestia a púrpura de um rei reaparece trajando os farrapos de um escravo. Tudo é representação, e a comédia da vida não é representada de maneira diferente.

Imaginemos que nos caia do céu um sábio e nos fale: "Este indivíduo que todos veneram como um deus e um soberano não é nem sequer um homem, porque, como os animais, ele é governado pelos instintos; é o mais vil dos escravos, porque serve espontaneamente a tantos e tão hediondos senhores. Esse filho, que chora o pai falecido, deveria alegrar-se, pois este finalmente começou a viver, já que a vida terrestre não é senão uma espécie de morte. Este outro, que se gloria de seus brasões, não passa de um plebeu e bastardo, porque está longe da virtude, que é a única fonte de nobreza". Se esse sábio falasse assim de todos, o que aconteceria a ele? Todos o considerariam um louco e desvairado. Assim como é a maior tolice uma sabedoria intempestiva, assim nada é mais imprudente do que uma prudência inoportuna. Age inoportunamente aquele que não sabe acomodar-se às coisas como elas são, que não segue os costumes, que não obedece a esta lei dos banquetes: "Ou bebe ou vai embora!" e que deseja que a comédia não seja uma comédia. Enquanto, ao contrário, faz parte do verdadeiro homem prudente não ser mais sábio do que a condição humana permite e dobrar-se de bom grado às opiniões da multidão ou errar complacentemente com ela. "Mas – dirão – isto é próprio da loucura!" Não nego, contanto que eles reconheçam, por sua vez, que isto é representar a comédia da vida.

30. Ó Deuses imortais! Devo continuar ou calar-me? Mas, por que calar o que é mais verdadeiro do que a verdade? Talvez convenha, numa questão tão importante, convocar as Musas do Hélicon, que os poetas invocam muitas vezes por simples bagatelas. Aproximai-vos um pouco, portanto, filhas de Júpiter! Irei mostrar que não existe acesso a esta Sabedoria perfeita, que chamam de cidadela da felicidade, senão através da Loucura.

Em primeiro lugar, ninguém discorda que todas as paixões dependem da Loucura. O que distingue o louco do sábio é que o primeiro se guia pelas paixões e o segundo pela razão. Por isso os estoicos removem do sábio todas as paixões, consideradas doenças. No entanto, estes afetos não só servem de guia para os que se dirigem ao porto da sabedoria, mas também são incentivos no caminho da virtude e estimulam a fazer o bem. Mas Sêneca, duplamente estoico, protesta energicamente, proibindo ao sábio todo tipo de paixão. Mas, ao fazê-lo, suprime o próprio homem e fabrica uma espécie de novo deus que nunca existiu nem existirá. Falando mais claramente, o homem por ele moldado é uma estátua de mármore, privada de inteligência e de todo sentimento humano.

Deixemos os estoicos desfrutar seu sábio à vontade, amá-lo sem concorrentes e habitar com ele na república de Platão, na região das Ideias ou nos jardins de Tântalo. Quem não fugiria com horror de um homem assim, como se foge de um monstro ou de um fantasma, um homem surdo a todos os sentimentos naturais, incapaz de afetos, estranho ao amor e à compaixão, como a pedra dura ou o rochedo de Marpésia, um ser ao qual nada escapa e que nunca comete erros, que tudo vê qual um Linceu, que tudo mede com o máximo rigor, que nada perdoa, que só está satisfeito consigo mesmo, que é o único a possuir riqueza e saúde, que só ele é rei e só ele é livre, numa palavra, que se declara e se acredita único em tudo, que não tem nenhum amigo e não é amigo de ninguém, que despreza os próprios Deuses, que para todos os atos da vida humana, considerados por ele insensatos, só tem condenação e zombaria? E este animal é para eles o sábio perfeito.

Se fosse o caso de recorrer à votação, eu pergunto: Que cidade elegeria um magistrado destes para governá-la ou que exército o desejaria como chefe? E mais: Que mulher desejaria um tal marido, que anfitrião aceitaria um tal companheiro de mesa e que servo desejaria ou suportaria um tal patrão? Quem não preferiria escolher, na massa dos loucos mais qualificados, alguém que fosse capaz de mandar e obedecer aos loucos, que soubesse agradar aos seus semelhantes, ou seja, à maioria, que fosse afável com sua mulher, gentil com os amigos, bom companheiro de mesa, de fácil convivência, enfim, um homem ao qual nada de humano é estranho?

Mas já estou farta deste sábio. Passemos a outros assuntos menos enfadonhos.

31. Suponhamos que alguém observa do alto a vida dos homens, como o faz às vezes o Júpiter dos poetas, e observa a quantidade de calamidades que se abatem sobre eles: seu nascimento miserável e imundo, sua educação difícil, os perigos que rondam sua infância, os penosos trabalhos da juventude, os achaques da velhice, a dura necessidade da morte, o grande número de doenças, os acidentes, os incômodos, a amargura que envenena toda a existência. Nem falemos do mal que

o homem causa a outro homem, como a pobreza, a prisão, a infâmia, a vergonha, as torturas, as emboscadas, as traições, os insultos, os processos, as fraudes. Seria como contar os grãos de areia do mar.

Não me cabe neste momento dizer que delitos cometeram os homens para merecer tal sorte, ou que Deus irado os condenou a nascer para estas misérias. Mas quem examinar seriamente estas coisas não aprovará o exemplo das virgens de Mileto e seu suicídio, embora doloroso? Mas quem são os que se mataram simplesmente por desgosto da vida? Não são os familiares da Sabedoria? Sem mencionar Diógenes, Xenócrates, os Catões, os Cássios e os Brutos, temos o célebre Quíron que, podendo obter a imortalidade, preferiu a morte. Percebeis, creio eu, o que aconteceria se em todo lugar os homens fossem sábios: seria necessária uma outra argila e um outro Prometeu oleiro. Eu, porém, em parte pela ignorância, em parte pela inadvertência, e às vezes pelo esquecimento dos males, levando-os a esperar o bem e às vezes a degustar o mel dos prazeres, protejo-os de tantos males que eles deixam esta vida com pesar, mesmo quando as Parcas acabaram de tecer o fio da vida e esta os abandona. Quanto menos razões têm para permanecer vivos, tanto mais lhes agrada viver, pois não sentem nenhum tédio da vida.

É graças a meus favores que vedes em toda parte tantos velhos que chegaram à idade de Nestor e já perderam toda forma humana, gaguejantes, delirantes, sem dentes, de cabelos brancos, calvos – ou, para descrevê-los melhor com palavras de Aristófanes, sujos, encurvados, débeis, enrugados, carecas, desdentados, circuncidados – e, no entanto, obstinados em degustar a vida. Assim se rejuvenescem: um pinta os cabelos brancos, outro cobre a calvície com uma peruca; outro coloca dentes postiços; um outro cai de amores por uma donzela e faz por ela mais tolices do que um adolescente. Alguns velhos, já com o pé na cova, se casam com alguma mocinha sem dote, que será mulher de outros; e este caso é tão frequente que eles quase chegam a gloriar-se disto.

Mas o mais encantador é ver mulheres velhas, tão decrépitas e cadavéricas que parecem ter regressado dos Infernos, repetir constantemente: "A vida é bela!" Ainda são quentes e, como dizem os gregos, parecem cadelas no cio. Seduzem por dinheiro algum jovem Faonte, maquiam-se, têm sempre um espelho à mão, depilam as partes íntimas, ostentam os peitos flácidos e murchos, com gemidos trêmulos procuram despertar um desejo lânguido, bebem amiúde, misturam-se às danças das jovens, escrevem cartinhas de amor. Todos zombam destas extravagâncias e as chamam de loucuras, e de fato o são. Mas elas, as velhinhas, estão contentes consigo mesmas, nadam num mar de delícias, degustam todas as doçuras e, graças aos meus favores, são felizes.

Aos que consideram isto ridículo peço que examinem se não é melhor levar sua doce vida nesta loucura do que, como se diz, procurar uma corda para se enforcar. Na verdade, a infâmia comumente ligada à conduta dos meus loucos não significa nada para eles; eles não sentem este mal ou, se o sentem, não lhe prestam atenção. Receber uma pedrada na cabeça é realmente um mal; mas a vergonha, a infâmia, a injúria, o insulto só são males na medida em que a pessoa os sente. Não existe mal se a pessoa não o sente. Quando todo o povo te vaia, isto não é nada se tu te aplaudes. E se alguém é capaz disto, ele o deve à Loucura.

32. Parece-me ouvir os filósofos opondo-se e gritando: "É uma desgraça ser mantido assim pela Loucura na ilusão, no erro e na ignorância". Antes pelo contrário, isto é ser homem. Não vejo por que eles consideram uma desgraça nascer, ser educado e formado desta maneira; é a sina comum de todos. Não pode ser considerado uma desgraça ser o que se é, a não ser que alguém considere que o homem deva lamentar-se por não poder voar como os pássaros, por não andar com quatro patas como os quadrúpedes, por não possuir chifres como os touros. Pelo mesmo motivo, ele consideraria infeliz um belo cavalo porque não aprendeu a gramática nem come bolos, ou um touro por não poder fazer ginástica. Assim como não é infeliz um cavalo por causa de sua ignorância gramatical, assim também a loucura não torna o homem infeliz, porque está em conformidade com a sua natureza.

Mas novamente os sutis artesãos do discurso nos vêm dizer que o conhecimento das ciências é dado ao homem para que sua inteligência compense o que a natureza lhe recusou. Como se fosse verossímil que a natureza, tão solícita em velar pelos mosquitos e até pelas plantas e flores, cochilasse apenas a respeito do homem, obrigando-o a recorrer às ciências, inventadas para sua perdição por Teuto, esse inimigo do gênero humano! Com efeito, elas são tão pouco úteis para a felicidade que não servem nem sequer para realizar o bem que se espera de cada uma delas, como mostra elegantemente em Platão um rei muito sensato, a propósito da invenção da escrita. As ciências irromperam junto com o resto dos flagelos da vida humana; elas provêm dos autores de todas as ignomínias, ou seja, dos demônios, nome que em grego, *daêmonas*, significa sábios.

As pessoas simples da idade de ouro, desprovidas de toda ciência, viviam guiadas apenas pelo instinto da natureza. Que necessidade havia da gramática, já que a língua era a mesma para todos e a palavra não servia senão para as pessoas se entenderem? Qual a necessidade da dialética, já que não havia nenhum combate entre opiniões rivais? Qual a necessidade da retórica, já que não havia processos judiciais? Para que a jurisprudência, já que não haviam começado os maus costumes, donde nasceram sem dúvida as boas leis? Os homens eram religiosos demais para perscrutar com ímpia curiosidade os mistérios da natureza, a dimensão dos astros, seus movimentos, suas influências, as causas ocultas das coisas. Consideravam um crime se algum mortal procurasse saber mais do que convinha à sua condição. Nunca lhes vinha à mente o desatino de investigar o que está além do céu. Mas, à medida que foi diminuindo esta pureza da idade de ouro, os gênios maléficos de que falei inventaram as ciências, de início pouco numerosas e com poucos adeptos. Mais tarde, a superstição dos caldeus e a frivolidade dos gregos acrescentaram muitas outras, que não passam de meros tormentos para a inteligência, a tal ponto que a gramática sozinha basta para torturar toda uma vida.

33. De resto, entre estas ciências, as mais úteis são as que estão mais próximas do senso comum, ou seja, da Loucura. Os teólogos passam fome, os físicos passam frio, os astrólogos são ridicularizados, os dialéticos são desprezados. O médico sozinho vale por muitos homens. E nesta profissão o mais ignorante, o mais ousado e mais imprudente é também o mais estimado, inclusive entre os príncipes. É que a medicina, tal como é

praticada pela maioria hoje, não é senão uma forma de adulação, não menos que a retórica. Depois dos médicos, o segundo lugar cabe aos legistas, se é que não merecem o primeiro. A profissão deles, de acordo com o consenso unânime dos filósofos, não passa de uma asneira; e, no entanto, estes asnos têm na mão os negócios, tanto grandes como pequenos. Suas propriedades aumentam, enquanto o teólogo, que perscrutou toda a papelada da divindade, come favas e trava guerra contínua com os percevejos e os piolhos. As ciências mais propícias são as que mais se aproximam da Loucura; por isso, os homens mais felizes são os que puderam manter-se longe de todas as ciências e tomar como guia unicamente a natureza. Ela nunca falta em nenhum lugar, a menos que queiramos sair dos limites da condição mortal.

A natureza odeia os artifícios e nada é melhor do que aquilo que não foi adulterado por nenhuma arte.

34. Não vedes que, entre todas as espécies animais, as que vivem melhor são as menos ensinadas e que têm como única mestra a natureza? O que há de mais feliz e mais admirável do que as abelhas? E, no entanto, elas não possuem todos os sentidos do corpo. A arquitetura descobrirá meios de construir iguais aos delas? Que filósofo instituiu alguma vez uma república semelhante? O cavalo, pelo contrário, que tem os sentidos semelhantes aos dos homens e vive em sua companhia, participa também de suas misérias. Não suportando ser ultrapassado na corrida, ele fica ofegante e, ambicionando a vitória na batalha, é perfurado com golpes e morde a terra junto com

seu cavaleiro. Deixo de mencionar o freio áspero, as esporas penetrantes, o cárcere da estrebaria, o chicote, a vara, as rédeas, o cavaleiro, enfim toda essa escravidão a que se submete voluntariamente, quando, imitando os valentes, se entrega totalmente a vingar-se do inimigo.

Como é preferível a existência das moscas e dos pássaros, entregues ao momento presente e ao instinto natural, na medida em que conseguem escapar das ciladas armadas pelos homens. Encerrados em gaiolas e acostumados a imitar a voz humana, os pássaros perdem estranhamente sua beleza nativa. São muito mais belas em todos os aspectos as obras da natureza do que as desfigurações da arte. Por isso nunca louvarei demais o galo que era Pitágoras em suas metamorfoses! Tendo sido tudo – filósofo, homem, mulher, rei, cidadão comum, peixe, cavalo, rã e, creio eu, até esponja – concluiu por fim que o homem era o mais infeliz dos animais, porque todos estes aceitam viver nos limites de sua natureza, ao passo que só ele se esforça por ultrapassá-los.

35. Novamente, entre os homens, ele preferia em muitos aspectos os ignorantes aos sábios e poderosos. E Grilo foi muito mais sensato do que o sapientíssimo Ulisses, quando preferiu grunhir numa pocilga a enfrentar com ele tantos perigos. Parece-me que esta é a opinião também de Homero, o pai das fábulas, que chama todos os mortais de infelizes e desgraçados e dá muitas vezes a Ulisses, seu modelo de sabedoria, o epíteto de miserável, mas nunca a Páris, Ájax e Aquiles. Qual o motivo? É que o herói astuto e artificioso não fazia nada sem o conselho de Palas e sua sabedoria excessiva o afastava muito do comando da natureza.

Entre os mortais, os mais infelizes são os que se dedicam à sabedoria. São duplamente loucos porque, esquecendo que nasceram homens, aspiram à condição de Deuses imortais e, a exemplo dos Gigantes, munidos das armas das ciências, declaram guerra à natureza. Pelo contrário, os menos infelizes são os que mais se aproximam da natureza dos animais e da loucura e não empreendem nada que vá além de sua condição humana.

Tentemos demonstrar isto, não por entimemas estoicos, mas por um exemplo grosseiro. Pelos Deuses imortais! Existe algo mais feliz do que este gênero de pessoas vulgarmente chamadas de idiotas, loucos, tolos, estúpidos, esplêndidos apelidos em minha opinião? À primeira vista, é uma afirmação talvez insensata e absurda; no entanto, nada é mais verdadeiro. Em primeiro lugar, não temem a morte, que – por Júpiter! – não é um mal pequeno. Não são atormentados pelos remorsos da consciência. Não se assustam com histórias de almas penadas. Não têm medo de fantasmas e aparições noturnas, nem se angustiam com males iminentes, nem alimentam uma esperança exagerada dos bens futuros. Em suma, não se agitam com as mil preocupações a que a vida está sujeita. Não sentem vergonha, medo, ambição, inveja, nem amor. E, se se aproximam da estupidez dos brutos, os teólogos garantem que eles não caem em pecado.

Considera comigo agora, sábio muito louco, tantas noites e tantos dias em que as inquietações atormentam o teu espírito; amontoa diante de ti todos os aborrecimentos de tua vida; e procura enfim compreender de quantos males livrei os meus loucos. Acrescenta que eles não só estão sempre alegres, brincando, cantarolando e rindo, mas para todos os lugares aonde vão levam o prazer, a brincadeira, o divertimento e o riso, como se a condescendência dos Deuses os tivesse destinado a alegrar a tristeza da vida humana. Por isso, sejam quais forem as disposições das pessoas para com seus semelhantes, estes são sempre reconhecidos como amigos; elas os procuram, os alimentam, os afagam, os abraçam, os socorrem nas necessidades; permitem-lhes dizer e fazer o que quiserem impunemente. Ninguém quer prejudicá-los e os próprios animais selvagens evitam causar-lhes algum mal, como se percebessem instintivamente que são inofensivos. Estão, com efeito, sob a proteção dos Deuses, especialmente sob a minha proteção, e cercados com toda razão por um respeito universal.

36. São tão benquistos dos grandes reis que alguns destes não conseguem comer, andar ou passar uma hora sequer sem eles. Preferem estes loucos aos seus sábios austeros, que eles costumam entreter por consideração. Esta preferência, a meu ver, é fácil de explicar e não surpreende ninguém, quando se vê estes sábios só trazerem tristeza aos príncipes. Confiantes em seu saber, atrevem-se a ferir-lhes os ouvidos delicados com verdades mordazes. Os tolos, porém, lhes oferecem o que os príncipes procuram em todo lugar e a todo custo: gracejos, riso, gargalhadas, amenidades. Reconhecei também aos loucos uma qualidade não desprezível: só eles são sinceros e verdadeiros. Haverá algo mais louvável do que a verdade? Embora um provérbio de Alcibíades, citado por Platão, coloque a verdade no vinho e na boca das crianças, todo o mérito cabe a mim, como reconhece Eurípides em seu famoso dito: “O louco só fala loucuras”. Tudo o que o louco tem no coração, ele o mostra no rosto e o expressa em seu discurso. Os sábios têm

duas línguas, como lembra Eurípides: uma para dizer a verdade e a outra para dizer o que julgarem oportuno. Sabem transformar o negro em branco, soprar da mesma boca o frio e o quente, guardar uma coisa no peito e expressar outra bem diferente pela língua.

Contudo, em sua felicidade, os príncipes me parecem muito infelizes por não terem quem lhes diga a verdade e serem obrigados a ouvir bajuladores em vez de amigos. Mas, poderá dizer alguém, os ouvidos dos príncipes têm horror da verdade e por isso fogem destes sábios porque temem encontrar alguém mais franco que prefira dizer coisas verdadeiras a dizer coisas agradáveis. Pois é notório que os reis não amam a verdade. E, no entanto, os meus loucos conseguem algo admirável: levá-los a ouvir com prazer não só verdades, mas também as repreensões diretas. A mesma palavra que na boca de um sábio lhe valeria a morte, quando pronunciada por um louco é recebida com incrível prazer. É que a verdade tem uma força peculiar de agradar, quando não contém nada de ofensivo; mas os Deuses a reservaram aos loucos. É por isso que esta espécie de homens costuma agradar muito às mulheres, por serem elas, por natureza, mais propensas ao prazer e à frivolidade. Tudo o que eles fizerem com elas, mesmo que às vezes seja muito sério, elas o tomam por brincadeira e divertimento, a tal ponto este sexo é engenhoso principalmente para disfarçar e ocultar seus defeitos e pecadilhos.

37. Mas voltemos à ditosa sorte dos loucos. Depois de passar a vida alegremente, sem temer nem sentir a morte, emigram diretamente para os Campos Elísios e ali deleitam as almas pias

e ociosas com suas brincadeiras. Prossigamos agora e comparemos a sorte de qualquer sábio com a deste louco. Ponhamos diante deste um modelo de sabedoria: o homem que gastou toda a sua infância e juventude no estudo das ciências e perdeu os melhores anos de sua vida em contínuas vigílias, cuidados e fadigas, e pelo resto da vida não se entregou a nenhum prazer; foi sempre parcimonioso, pobre, triste, carrancudo, áspero e rigoroso consigo mesmo, desagradável e odioso para os outros, pálido, magro, enfermiço, remelento, decrépito, calvo antes do tempo, votado a uma morte prematura. Aliás, o que importa que ele morra, já que nunca viveu? Tendes aqui um belo retrato do sábio.

38. Novamente ouço coaxar as rãs estoicas: "A demência é o pior dos males. Ora, a insigne loucura está próxima da demência ou é a própria demência. Pois o que é um demente senão um espírito que não raciocina?" Mas estas rãs estão completamente enganadas. Com a ajuda das Musas, vamos desmontar este silogismo, por mais sutil que seja. Em Platão, Sócrates ensina a dividir uma Vênus em duas Vênus e um Cupido em dois Cupidos; os nossos dialéticos deveriam fazer o mesmo e distinguir duas espécies de demência, para mostrar que eles próprios são sensatos. Com efeito, nem toda demência é funesta por definição. Do contrário, Horácio não teria dito: "Não sou, por acaso, um brinquedo nas mãos da amável demência?" Platão não teria colocado o delírio dos poetas, dos videntes e dos amantes entre os principais benefícios da vida; e a Sibila não teria qualificado como insensato o empreendimento de Eneias.

Existem, portanto, dois tipos de demência. Uma demência é aquela que as Fúrias cruéis desencadeiam a partir dos Infernos sempre que lançam suas serpentes e põem no coração dos mortais o ardor da guerra, ou a insaciável sede de ouro, ou o amor indecoroso e infame, ou o parricídio, ou o incesto, ou o sacrilégio, ou algum outro flagelo deste tipo; ou quando perseguem com suas tochas aterradoras as consciências criminosas. A outra demência é muito diferente: ela emana de mim e é a coisa mais desejável. Ela nasce sempre que alguma doce ilusão liberta a alma de suas penosas inquietações e a entrega às diversas formas de prazer. Cícero, escrevendo a Ático, diz que deseja esta ilusão como um dom supremo dos Deuses, para ser menos sensível a todos os seus infortúnios. Não estava muito longe disto aquele homem de Argos que foi tão louco a ponto de passar dias inteiros sozinho no teatro rindo, aplaudindo e regozijando-se por acreditar que ali estavam sendo representadas tragédias maravilhosas, quando absolutamente nada estava sendo representado. Nas outras coisas da vida ele se comportava de maneira perfeitamente normal, como diz Horácio: "Agradável para os amigos, afável para a mulher, patrão indulgente para seus servos. E não ficava furioso se alguém rompia o lacre de sua garrafa". Quando os cuidados dos familiares e os remédios o curaram e ele voltou ao estado normal, queixou-se aos amigos nos seguintes termos: "Por Pólux, meus amigos, vocês me mataram em vez de salvar-me. Vocês me privaram de meus prazeres e me tiraram a encantadora ilusão de minha mente". E tinha razão. Mais do que ele, quem precisava de heléboro eram as pessoas que, diante de uma demência tão feliz e tão benéfica, a consideraram uma doença a ser curada com poções.

Não penso que se deva chamar doença toda aberração dos sentidos ou da mente.

Alguém que tem a vista fraca e toma um jumento por um asno ou alguém que admira um mau poema como se fosse um poema excelente não devem ser considerados loucos por causa disso. Porém, se alguém se ilude não só nos sentidos, mas também no julgamento, e de maneira contínua e excessiva, esse está bem próximo da demência; é o caso daquele que, ao ouvir um asno zurrar, julga estar ouvindo uma sublime sinfonia, ou do pobre diabo, nascido na miséria, que acredita ser Creso, rei da Lídia. Mas este tipo de demência, quando se une com a alegria, como geralmente acontece, é agradável tanto para os que a possuem quanto para os que a observam e são dementes de outra maneira. Pois este tipo de demência é muito mais comum do que as pessoas geralmente imaginam. Um louco ri do outro louco e assim se divertem mutuamente. E não é raro ver o mais louco dos dois rir mais alto.

39. Em minha opinião - a opinião da Loucura - quanto mais alguém é louco tanto mais ele é feliz, contanto que permaneça no gênero de loucura que é meu domínio peculiar; e este domínio é tão vasto que não sei se é possível encontrar no gênero humano um único indivíduo que seja sábio todas as horas do dia e não tenha nenhum tipo de loucura. Aqui existe apenas uma diferença: o homem que confunde uma abóbora com uma mulher é tratado como louco, porque este erro é cometido por pouquíssimas pessoas. Mas se alguém, cuja esposa tem numerosos amantes, acredita e declara, cheio de orgulho, que ela supera Penélope em fidelidade, ninguém o considera louco, porque este estado de espírito é comum a muitos maridos.

A esta categoria pertencem os amantes da caça, que tudo desdenham e afirmam sentir um incrível prazer escutando o horrível som da corneta e o latido dos cães. Suspeito até que, ao cheirar o excremento dos cães, sentem um odor de canela. Que prazer em esquartejar um animal! Esquartejar touros e carneiros é tarefa da plebe; cortar em pedaços a fera selvagem é reservado ao nobre. Com a cabeça descoberta, de joelhos, com um cutelo destinado exclusivamente para isto (não é permitido usar outro), faz certos gestos, numa certa ordem, para cortar certos membros seguindo um rito religioso. Ao seu redor a multidão, em silêncio, admira como um espetáculo novo o que ela já viu mais de mil vezes. E o que é admitido a degustar alguma porção do animal considera isto uma grande glória. De tanto perseguir os animais selvagens e nutrir-se deles, os caçadores acabam assemelhando-se a eles; no entanto, acreditam levar uma vida de reis.

Muito semelhantes a eles são as pessoas que têm a insaciável mania de edificar; num dia mudam os edifícios redondos em quadrados e no outro dia os edifícios quadrados em redondos. Não conhecem nem medida nem termo, até que, reduzidos à extrema indigência, acabam não tendo onde morar nem o que comer. O que importa? Passaram alguns anos inteiramente felizes.

Ao lado destes, em minha opinião, devem ser contados os alquimistas. Com práticas novas e misteriosas, trabalham para mudar a natureza dos elementos e procuram na terra e nos mares um quinto elemento, a quintessência. Alimentados por uma doce esperança, nunca poupam esforços e nem despesas. Sempre têm em mente alguma imaginação maravilhosa que os engane novamente e a ilusão lhes é tão cara que perdem todos os bens e não lhes sobra nada para construir uma última fornalha. Longe de renunciar por isso a seus sonhos encantados, empregam todos os seus esforços para induzir os outros a uma felicidade semelhante. Quando finalmente a última esperança os abandona, consolam-se com esta bela frase: "Nas grandes coisas, é suficiente ter tentado". Responsabilizam então a brevidade da vida, que não lhes permitiu concluir tão grandioso empreendimento.

Será que os jogadores devem ser admitidos em nossa confraria? Tenho algumas dúvidas. Não existe espetáculo tão louco e ridículo como uma reunião destes viciados no jogo, cujo coração salta e palpita ao barulho dos dados lançados. A esperança de ganhar nunca os abandona; mas, quando a nave que carregava sua fortuna se espatifa contra o escólio do jogo, muito mais temível do que o cabo Maleia, e os náufragos a duras penas conseguem chegar à praia completamente nus, preferem fraudar qualquer um em vez de seu ganhador, temendo passar por homens pouco sérios. E o que dizer dos velhos quase cegos, que usam lentes para poderem jogar? E quando, por fim, a gota justiceira lhes endureceu as articulações, pagam substitutos para colocar os dados no copo por eles. Seria uma coisa agradável, se o jogo não acabasse o mais das vezes em acessos de raiva, mas isso já é da alçada das Fúrias e não da minha.

40. Reconheço autenticamente como farinha do nosso saco aqueles que gostam de ouvir ou contar histórias milagrosas e mentiras estupendas. Não se cansam de ouvir essas fábulas prodigiosas sobre fantasmas, espíritos, duendes, demônios e mil prodígios deste gênero. Quanto mais inverossímeis, tanto mais granjeiam crédito e provocam agradáveis cócegas nos ouvidos. Estas histó-

rias não só servem para aliviar o tédio das horas, mas trazem também algum lucro, especialmente para os sacerdotes e pregadores.

Muito próximos a estes estão os que, por uma louca, mas doce convicção, imaginam que a visão de uma estátua ou de um quadro de São Cristóvão, o Polifemo dos cristãos, lhes assegura que não morrerão nesse dia; ou os que dirigem à escultura de Santa Bárbara as palavras prescritas que os farão retornar sãos e salvos da batalha; ou os que se dirigem a Santo Erasmo em certos dias, acendendo pequenas velas e recitando pequenas orações, convencidos de que ficarão ricos em pouco tempo. Assim como existe para eles um segundo Hipólito, encontraram em São Jorge um outro Hércules. Falta pouco para adorarem seu cavalo religiosamente ajaezado e enfeitado; com pequenas dádivas conquistam seus favores e jurar por seu capacete de bronze é um verdadeiro juramento feito a um rei.

E o que direi daqueles que se vangloriam docemente por obter perdões imaginários para seus crimes, que medem como se fosse com ampulhetas a duração do Purgatório, calculando numa tabela matemática infalível séculos, anos, meses, dias e horas? Ou dos que, confiados em fórmulas mágicas e orações inventadas por algum piedoso impostor, para bem de sua alma ou para seu próprio proveito, prometem-se tudo: riquezas, honras, prazeres, fartura, saúde sempre sólida, vida longa, velhice vigorosa e, por fim, uma cadeira junto a Cristo no Paraíso! E, além disso, não querem sentar-se nela senão o mais tarde possível, quando os prazeres desta vida, aos quais se agarram, os abandonarem contra a sua vontade e eles devem contentar-se com as delícias do Céu. Vede este comerciante, este soldado, este juiz, que, entregando uma pequena moeda, produto de tantas rapinas, imaginam purificar de uma vez este brejo de Lerna que é sua vida e resgatar por um simples pacto tantos perjúrios, tantas luxúrias, tantas bebedeiras, tantas rixas, tantos assassinatos, tantas imposturas, tantas perfídias e traições, resgate tão perfeito que, acreditam eles, poderão livremente recomeçar uma nova série de malvadezas.

O que há de mais louco, ou melhor, de mais feliz do que estes outros que, recitando diariamente aqueles sete versículos do Saltério, prometem a si mesmos mais do que a suprema felicidade? Ora, acredita-se que estes versículos mágicos foram sugeridos a São Bernardo por algum diabo, um diabo travesso sem dúvida, mas mais estouvado do que astuto, porque foi pego em sua própria armadilha. E estas loucuras, das quais eu mesma quase chego a me envergonhar, são aprovadas, e não só pelo povo simples, mas também pelos professores de religião.

Inspirados por este mesmo espírito, os diversos países reivindicam seu Santo particular e lhe conferem atribuições próprias e estabelecem ritos próprios de culto. Um cura a dor de dentes, outro ajuda a mulher no parto, outro devolve objetos roubados, outro aparece aos náufragos e os salva, outro protege os rebanhos, e assim por diante. A enumeração de todos não acabaria nunca. Alguns acumulam diversos poderes, particularmente a Virgem Mãe de Deus, a quem o comum das pessoas atribui quase mais do que a seu Filho.

41. Mas, o que pedem os homens a estes santos senão o que diz respeito à Loucura? Lede os ex-votos que, em alguns templos, cobrem as paredes quase até à abóbada: ninguém

jamais agradeceu por ter sido curado da loucura ou por ter adquirido um grãozinho de sabedoria. Um escapou de um naufrágio. Outro sobreviveu às feridas recebidas no combate. Outro fugiu durante a batalha, deixando os outros combatendo, e conta sua sorte e coragem. Outro, pendurado na forca, caiu por virtude de algum deus amigo dos ladrões e poderá recomeçar a roubar o próximo sobrecarregado de riquezas. Outro rompeu as portas da prisão e fugiu. Outro ficou curado da febre para grande irritação do médico. Para outro, o veneno ingerido provocou uma diarreia que lhe trouxe a cura em vez da morte, para tristeza da esposa que gastara tempo e dinheiro. Outro teve o coche tombado e conseguiu levar para casa os cavalos incólumes. Outro foi retirado vivo dos escombros. Outro, apanhado pelo marido da amante, conseguiu escapar. Ninguém agradece por ter sido livrado de uma loucura. É tão agradável não ser sábio, que os mortais pedem para ser livrados de tudo, menos da Loucura.

Mas por que embarcar neste oceano de superstições? Como disse Virgílio: "Ainda que eu tivesse cem línguas, cem bocas e uma voz de bronze, não poderia enumerar todos os tipos de loucos e todos os nomes da Loucura". É que a vida de todos os cristãos está cheia destas extravagâncias, que os sacerdotes de bom grado admitem e alimentam, não ignorando quanto lucro isto lhes traz. Nestes meios pode levantar-se um sábio importuno e dizer as coisas como são: "Não terás um mau fim, se viveres bem: para expiar os teus pecados, acrescenta à tua moeda o ódio às tuas faltas e também lágrimas, vigílias, orações, jejuns e uma mudança completa de conduta. O santo te socorrerá, se tua vida se assemelhar à dele". Se esse sábio repete estas verdades e outras semelhantes, vede como ele arrancaria as almas de sua felicidade e em quanta confusão as lançaria!

Pertencem a esta confraria também aqueles que, em vida, preveem tão minuciosamente seus funerais que chegam a regulamentar o número de archotes, mantos negros, cantores, carpideiras, como se chegasse até eles alguma coisa deste espetáculo, ou como se menos magnificência no enterro pudesse causar vergonha aos mortos. É o estado de ânimo dos edis que acabam de ser eleitos e se preocupam em oferecer jogos e banquetes.

42. Embora eu me apresse, não posso passar em silêncio essas pessoas que em nada se distinguem do mais humilde sapateiro e, no entanto, se vangloriam de um vão título de nobreza! Um alega descender de Eneias, outro de Bruto, outro do rei Artur. Expõem por toda parte estátuas e retratos de seus antepassados. Enumeram trisavôs e tataravôs e lembram os antigos sobrenomes, quando eles próprios não passam de uma estátua muda ou são até inferiores às imagens que eles ostentam. No entanto, graças à nossa amável Filautia, levam uma vida perfeitamente feliz. E não faltam loucos semelhantes que consideram estes brutos como deuses.

Mas, por que citar este ou aquele exemplo, quando em toda parte esta Filautia torna muitas pessoas maravilhosamente felizes? Este, mais feio do que um macaco, acredita-se belo como Nireu. Aquele, por conseguir traçar três linhas com um compasso, imagina ser um Euclides. Outro acredita cantar como Hermógenes, quando é o asno diante da lira e sua voz soa tão falsa como a do galo mordendo sua galinha.

Existe ainda outro gênero muito agradável de loucura: o daquelas pessoas que aproveitam o mérito de seus domésticos e se vangloriam como se fosse mérito seu. É o caso do rico duplamente feliz de que fala Sêneca: ao contar uma historieta, tinha à mão os servos que lhe sopravam as palavras; e, embora fosse tão fraco que mal podia manter-se em pé, aceitou um desafio de pugilato, confiando na companhia de muitos escravos robustos.

O que dizer dos artistas de profissão? Cada um deles tem sua Filautia particular e preferiria entregar seu pequeno patrimônio a perder seu talento. É o caso, sobretudo, dos comediantes, dos músicos, dos oradores e dos poetas. Quanto mais ignorantes, tanto maior sua altivez, tanto mais se envaidecem e se pavoneiam. Todos encontram onde colocar sua mercadoria, porque o que há de mais inepto encontra mais admiradores. O pior sempre agrada necessariamente ao maior número, porque a maioria dos homens está sujeita à Loucura. Por isso, já que o mais ignorante é também o mais satisfeito consigo mesmo e o mais admirado, por que dedicar-se ao verdadeiro saber, que é tão penoso de adquirir, torna mais enfadonho e menos confiante e, finalmente, é apreciado por muito poucas pessoas?

43. Vejo que a natureza semeou certa Filautia em cada um dos mortais, e igualmente em cada nação e em cada cidade. Daí os ingleses reivindicam para si, entre outras coisas, a beleza física, o talento musical e os esplêndidos banquetes. Os escoceses se orgulham de uma nobreza, de um título de parentesco com a realeza, da habilidade nas controvérsias. Os franceses se gloriam da cortesia. Os parisienses arrogam-se quase que o mo-

nopólio da ciência teológica. Os italianos se atribuem as belas-letras e a eloquência e se orgulham de ser o único povo que não é bárbaro. Neste gênero de felicidade, os romanos têm a primazia e ainda se encantam com o sonho da antiga Roma. Os venezianos são felizes pensando em sua nobreza. Os gregos, que se consideram os criadores das ciências, se atribuem os títulos de glória dos antigos heróis. Os turcos e toda aquela corja de bárbaros reivindicam a melhor religião e escarnecem dos cristãos, considerando-os supersticiosos. Muito mais joviais são os judeus, que ainda esperam o seu Messias e até hoje apegam-se teimosamente a seu Moisés. Os espanhóis não cedem a ninguém a honra das armas. Os alemães se orgulham de sua alta estatura e de seus conhecimentos de magia.

44. Não vamos prosseguir. Creio que podeis ver quanta alegria e satisfação a Filautia proporciona em toda parte a todos e a cada um dos mortais.

Ela tem por irmã a Adulação, muito semelhante a ela, porque a Filautia afaga a si mesma e a Adulação afaga os outros. Mas hoje a adulação está desacreditada, pelo menos para as pessoas que prestam atenção mais às palavras do que às próprias coisas. Imaginam que a sinceridade não é compatível com a adulação, quando muitos exemplos, inclusive os dos animais, demonstrariam o contrário. Que animal é mais adulador e, no entanto, mais fiel do que o cão? Que animal é mais carinhoso do que o esquilo e, ao mesmo tempo, mais amigo do homem? Ou admitiríeis que os leões ferozes, os tigres cruéis ou os leopardos furiosos são mais favoráveis à vida humana? Existe, é claro, uma adulação certamente perniciosa, utilizada às vezes por muitas pessoas desleais e zombeteiras para levar os infelizes à ruína. Mas a que vem de mim nasce da bondade e da candura; e está muito mais próxima da virtude do que a rudeza, que é seu contrário, e o mau humor que, para Horácio, é grosseiro e insuportável. Ela levanta os ânimos abatidos, afaga os tristes, estimula os desanimados, desperta os néscios, consola os doentes, amolece os corações furiosos, aproxima os apaixonados e os mantém unidos. Ela estimula os jovens a amar o estudo, alegra os velhos, dá aos príncipes, sem ofendê-los, conselhos e lições sob o disfarce de elogios. Em suma, ela torna cada um mais agradável e mais caro a si mesmo, o que é a essência da felicidade. Existe algo mais delicado e cortês do que um burro coçando o outro burro?

A adulação faz parte da tão celebrada Eloquência, mais ainda da Medicina e em sumo grau da Poesia. Ela é o mel e o tempero de todas as relações entre os homens.

45. Mas, dirá alguém, é uma desgraça estar enganado! Desgraça muito maior é não estar enganado. O maior erro é julgar que a felicidade do homem está nas próprias coisas: a felicidade depende das opiniões que temos das coisas. Nas coisas humanas há tanta obscuridade e tanta diversidade que é impossível conhecer algo com absoluta clareza, como disseram muito bem os meus Acadêmicos, os menos arrogantes dos filósofos. Ou então, se alguém chega ao conhecimento, é muitas vezes à custa dos prazeres da vida.

O espírito do homem é feito de tal maneira que é pego muito mais pela mentira do que pela verdade. Se alguém quiser fazer a experiência, vá à igreja quando ali se prega. Se se trata de coisas sérias, o auditório dorme, boceja, se aborrece. Se o gritador (perdão, eu queria dizer: orador), como acontece muitas vezes, começa a contar a história de uma velhinha, todos acordam, se aprumam e escutam embasbacados. Da mesma forma, se existe algum santo mais fabuloso e poético, como por exemplo São Jorge, São Cristóvão ou Santa Bárbara, ele atrairá muito mais devotos do que São Pedro, São Paulo ou o próprio Cristo. Mas não é aqui o lugar para falar destas coisas.

Como esta felicidade custa pouco! Às vezes é preciso um grande esforço para adquirir os menores conhecimentos, como a gramática, ao passo que a opinião se forma muito facilmente. E esta contribui outro tanto ou até mais para a felicidade. Se alguém se come carne estragada podre, cujo odor os outros não conseguem suportar, mas ele sente um sabor de ambrosia, eu pergunto: Que diferença faz para sua felicidade? Pelo contrário, aquele a quem o esturjão causa náuseas poderá sentir algum prazer? Se uma mulher é extremamente feia, mas aos olhos do marido compete com a própria Vênus, não é como se ela fosse perfeitamente bela? Se alguém tem um quadro mal pintado com cinábrio e açafrão e o contempla e admira, convencido de que é de Apeles ou Zêuxis, não é ele mais feliz do que aquele que pagou muito caro por uma pintura destes artistas e a olha talvez com menos prazer? Conheci alguém, meu xará, que presenteou sua jovem esposa com pedrarias falsas e, por ser bom de papo, convenceu-a de que eram não só verdadeiras e naturais, mas também raras e de um preço inestimável. Pergunto: Que diferença faz para ela, se passava os olhos e o espírito com não menor prazer sobre essas quinquilharias e as conservava como um tesouro precioso? O marido, entrementes, evitava despesas e comprazia-se com a ilusão de sua mulher, que se mostrava tão agradecida como se tivesse recebido um presente de grande valor.

Vedes alguma diferença entre aqueles que, na caverna de Platão, olham as sombras e as imagens das coisas, não desejando outra coisa e deleitando-se às mil maravilhas, e o sábio que saiu da caverna e vê as coisas como elas são? Se o sapateiro Micilo de Luciano tivesse podido continuar para sempre o sonho dourado em que ele era rico, não havia motivo para desejar outra felicidade. Não existe, portanto, diferença; ou, se existe uma diferença, a condição dos loucos tem preferência. Em primeiro lugar, sua felicidade custa pouco, basta um grãozinho de persuasão. Em segundo lugar, porque a desfrutam junto com muitos.

46. Ora, sabemos que nenhum bem satisfaz se não é compartilhado. Os sábios são em número bem pequeno, se é que se pode encontrar algum. A Grécia, depois de tantos séculos, conta sete ao todo; e juro por Hércules que, examinando mais atentamente, não encontraríamos entre eles a metade ou mesmo a terça parte de um homem sábio.

Entre tantos benefícios atribuídos a Baco, o primeiro é o de expulsar as preocupações, embora por pouco tempo, porque elas voltam a galope, como se diz, passada a ressaca da bebedeira. As vantagens que eu proporciono são muito mais completas, muito mais duradouras. Como mergulho a alma numa espécie de embriaguez perpétua, enchendo-a de delícias, alegrias e êxtases, e sem o menor esforço! E não excluo nenhum mortal de meus favores, ao passo que as outras divindades escolhem alguns privilegiados para seus dons. Nem toda região produz o vinho suave e generoso que afasta as preocupações e enche o coração de rica esperança. Poucos seres recebem a beleza, presente de Vênus. Um número ainda menor recebe a eloquência, dom de Mercúrio. Hércules não concede a riqueza a muitos. O Júpiter de Homero não concede o cetro a qualquer um. Marte muitas vezes não favorece nenhum dos lados no combate. Muitos se afastam tristes da trípode de Apolo. O filho de Saturno muitas vezes lança seus raios. Febo às vezes envia a peste. Netuno afoga mais pessoas do que salva. Sem falar dos Véjoves, Plutões, Ates, Castigos, Febres e outras coisas do gênero; estes não são divindades, mas carrascos.

Eu sou aquela única Loucura que distribui indistintamente entre todos uma beneficência sempre pronta.

47. Não espero votos, não me irrito, não reclamo oferendas expiatórias pela omissão de alguma cerimônia. Não movo céus e terra se alguém convidou os outros Deuses e me deixou em casa, ou se não me admitiu a sentir o aroma das vítimas sacrificadas. Neste ponto, as outras divindades são tão exigentes que é mais vantajoso e seguro negligenciá-las do que servi-las. Da mesma forma existem homens tão intratáveis e tão prontos a ofender que seria melhor ignorá-los completamente do que tê-los como amigos.

Mas ninguém, direis, oferece sacrifícios à Loucura, nem lhe erige um templo. É exato e, como já vos disse, esta ingratidão me deixa bastante pasma; mas, como sou indulgente, vejo isto pelo lado bom. Não faço questão destas coisas. Por que exigir um grão de incenso ou farinha sagrada, ou um bode, ou um porco, quando todos os mortais em toda parte me prestam um culto que mesmo os teólogos consideram excelente? Deverei, por acaso, invejar Diana por ela ser honrada com sangue humano? Considero-me perfeitamente cultuada quando por toda parte os homens me trazem em seu coração, me expressam em seus costumes e me representam em sua vida.

Esta maneira de prestar culto não é frequente, nem mesmo entre os cristãos. Quantas pessoas acendem uma vela à Virgem mãe de Deus, e isto em pleno dia, quando não há necessidade! E quão poucos são os que procuram imitar sua castidade, sua modéstia, seu amor às coisas celestiais! No entanto, este é o verdadeiro culto, de longe o mais agradável aos habitantes do céu. Além disso, por que desejaria eu um templo, quando o universo inteiro é meu templo e, se não estou enganada, o mais belo de todos? Também não me faltam adoradores, porque estes só me faltam onde faltam homens. Não sou tão tola para exigir estátuas ou imagens coloridas, que muitas vezes impedem o nosso culto, porque os devotos estúpidos e ignorantes adoram as imagens em lugar dos próprios Deuses. Acontece igualmente comigo o que costuma acontecer com os que são suplantados por seus representantes. Quanto a mim, creio contar com tantas estátuas quantos são os mortais e estes são, mesmo involuntariamente, minha imagem viva. Portanto, não há motivo para eu ter inveja dos ouros Deuses por terem um culto em determinados lugares da terra e em determinados dias – por exemplo: Febo em Rodes, Vênus em Chipre, Juno em Argos, Minerva em Atenas, Júpiter no Olimpo,

Netuno em Tarento, Príapo em Lâmpsaco –, já que o universo inteiro me oferece continuamente vítimas muito mais preciosas.

48. Se vos parece que me exprimo com mais atrevimento do que exatidão, examinemos juntos a existência dos homens e aparecerá claramente quanto me devem e quanto me estimam os grandes e os pequenos. Não examinaremos a vida de cada um, pois seria longo demais; falarei apenas dos mais insignes, o que permitirá facilmente julgar os outros. Por que falar da plebe que, sem dúvida alguma, me pertence totalmente? Abundam tantas formas de loucura e cada dia faz nascer tantas outras novas que mil Demócritos seriam insuficientes para zombar delas, e a estes Demócritos seria necessário acrescentar um Demócrito a mais. É incrível quantas diversões e quantos prazeres estes pobres homens causam todos os dias aos Deuses. Estes passam as horas sóbrias da manhã a resolver as contendas e ouvir as promessas. Depois, já inebriados de néctar e incapazes de qualquer ocupação séria, sobem à parte mais alta do Céu, e ali se sentam para contemplar as ações dos homens. Não existe espetáculo mais divertido para eles! Por Deus! Que belo teatro! Quanta agitação e quanta variedade de loucos!

Eu mesma costumo muitas vezes ir vê-los, sentada entre os deuses da poesia. Um morre de amores por uma mulherzinha e, quanto menos é amado, tanto mais se apaixona. Outro se casa não com uma mulher, mas com um dote. Este prostitui sua mulher. Aquele, ciumento como Argos, não a perde de vista. Ah! Quantas loucuras alguém diz e faz por ocasião de um velório, chegando a pagar comediantes para representar a dor! Outro chora junto ao túmulo da madrasta. Outro gasta todo o seu rendimento para encher o estômago, com o risco de em breve passar fome. Outro põe toda a sua felicidade no sono e no ócio. Há os que se ocupam sem descanso com os negócios dos outros e descuidam dos próprios. Há os que vivem de empréstimos, e se acreditam ricos com o dinheiro de outros, mas estão à beira da bancarrota. Para outro toda a felicidade está em viver pobre a fim de enriquecer um herdeiro. Outro, por um lucro pequeno e incerto, atravessa os mares, expondo ao perigo das ondas e dos ventos uma existência que nenhum dinheiro poderá resgatar. Outro prefere procurar a fortuna na guerra a levar uma vida tranquila e segura em sua casa. Há os que cortejam os velhos sem herdeiros, pensando assim enriquecer mais facilmente. E não faltam os que procuram convencer de seu amor as velhinhas ricas. Uns e outros proporcionam aos Deuses um excelente espetáculo para o dia em que serão enganados por aqueles mesmos que eles tentaram enganar.

A raça mais louca e mais sórdida é a dos Comerciantes, porque exercem a mais vil das profissões e com os métodos mais desonestos. Mentem, juram falso, roubam, fraudam, iludem e, apesar disto, pretendem ocupar os primeiros lugares graças aos anéis de ouro que trazem nos dedos. Não lhes faltam aduladores mesquinhos, que os admiram e lhes dão em público o título de "veneráveis", talvez para assegurar-se algumas migalhas do dinheiro mal-adquirido. Em outros lugares existem certos pitagóricos tão persuadidos de que todos os bens são comuns que se apossam tranquilamente de tudo o que chega ao alcance de suas mãos, como se fosse uma herança. Há os que são ricos apenas em desejos; os sonhos agradáveis que cultivam bastam para torná-los felizes. Alguns estão satisfeitos por serem considerados ricos em público, mas em casa passam fome resignadamente. Uns se apressam em dilapidar seu patrimônio, outros acumulam por todos os meios possíveis. Um ambiciona as honras populares, outro deleita-se junto à lareira em sua casa. Um bom número de pessoas move processos intermináveis e assim porfiam para enriquecer o juiz dilatório e o advogado que está em conluio com ele. Um se apaixona pela novidade, outro planeja coisas grandiosas. Outro vai a Jerusalém, a Roma, ou a Santiago, onde não tem negócios a fazer, e larga em casa a mulher e os filhos.

Em suma: Se, como Menipo outrora, pudésseis observar da Lua as inúmeras agitações dos mortais, julgaríeis estar vendo uma multidão de moscas e mosquitos brigando entre si, guerreando-se, armando-se ciladas, roubando uns aos outros, brincando, divertindo-se, nascendo, caindo e morrendo. É incrível a quantidade de tumultos e tragédias que pode causar um animalzinho tão pequeno, destinado a morrer em breve. Muitas vezes, uma guerra curta ou uma simples epidemia faz desaparecer milhares ao mesmo tempo.

49. Mas eu mesma seria a mais louca das criaturas e digna das risadas e escárnios de Demócrito, se continuasse a enumerar as loucuras e extravagâncias das pessoas comuns. Ocupar-me-ei dos que, entre os mortais, exibem uma aparência da sabedoria e cobiçam, como dizem, aquele ramo de ouro de que fala Virgílio.

Entre eles ocupam o primeiro lugar os Gramáticos, raça de homens que seria sem dúvida a mais calamitosa, a mais triste, a mais odiada pelos Deuses, se eu não viesse mitigar as desgraças de sua infeliz profissão com uma espécie de doce loucura. Não são apenas cinco vezes malditos, ou seja, expostos a cinco graves perigos, como diz um epigrama grego; são mil maldições que pesam sobre eles. Sempre famintos e desmazelados em suas escolas - eu disse escolas, mas deveria dizer: claustros, ou melhor, cadeias e câmeras de tortura –, envelhecem no meio de sua tropa de alunos, ficam surdos com seus gritos, definham com o mau cheiro e a imundície; e, no entanto, graças a mim, eles se sentem os primeiros entre os mortais. Ah! Como estão satisfeitos de si quando aterrorizam com o olhar ameaçador e a voz altissonante um grupo de meninos assustados, quando atormentam as infelizes crianças com a palmatória, a vara e o chicote, quando soltam sua fúria a seu bel-prazer e de todos os modos, imitando aquele asno de Cumas. Entretanto, a imundície em que vivem lhes parece puro asseio, o mau cheiro tem odor de manjerona. Sua infeliz servidão lhes parece um reino e não trocariam sua tirania pelo império de Fálaris ou de Dionísio.

Mas sua maior felicidade vem do orgulho que eles têm de seu saber. Eles que enchem a cabeça das crianças com puras extravagâncias, como se sentem superiores - oh bons Deuses! - a Palêmon e a Donato. E não sei por quais sortilégios conseguem convencer as estúpidas mães e os pais idiotas a aceitá-los como eles se imaginam. E qualquer um deles sente um enorme prazer quando encontra em algum manuscrito carcomido o nome da mãe de Anquises, ou alguma expressão inusitada como *bubsequa*, *bovinator*, *manticulator*, ou quando desenterra um pedaço de pedra antiga com vestígios de uma inscrição! Ah, por Júpiter! Que alegria! Que triunfo! Que elogios! Teriam vencido a África ou conquistado Babilônia? Divulgam por toda parte seus versozinhos mais frios e insípidos, encontram quem os admira e se convencem que a alma de Virgílio transmigrou para eles. Nada os encanta mais do que distribuir entre si admirações e elogios e trocar congratulações. Mas, se algum deles comete um pequeno lapso gramatical, e alguém mais esclarecido por acaso o percebe – por Hércules! –, que tragédia! Quanta peleja! Quantos insultos! Quantas invectivas! Que venham contra mim todos os gramáticos se estou exagerando!

Conheci um sábio de conhecimentos muito variados, mestre em grego, latim, matemática, filosofia e medicina, já sexagenário, que há mais de vinte anos abandonou tudo para torturar-se no estudo da gramática. Ele se consideraria feliz se pudesse viver o tempo suficiente para definir e distinguir com precisão as oito partes do discurso, o que até hoje ninguém, entre os gregos ou os latinos, conseguiu fazer com perfeição. Como se fosse motivo de guerra alguém elevar uma conjunção à categoria de advérbio! Sabemos que existem tantas gramáticas quantos são os gramáticos, e até mais, já que meu amigo Aldo, sozinho, imprimiu mais de cinco. Não existe gramática que ele deixe de lado, por mais bárbara e enfadonha que seja; ele as folheia e examina; espreita as menores tolices escritas sobre a matéria, temendo sempre que alguém lhe roube esta glória e ele perca seu trabalho de tantos anos. Preferis chamar a isso insanidade ou loucura? Pouco me importa, contanto que confesseis que, graças aos meus favores, o animal de longe o mais infeliz de todos se eleva a tal grau de felicidade que não trocaria sua sorte pela do rei da Pérsia.

50. Os Poetas me devem menos, embora sejam naturalmente de minha corporação. Eles formam uma raça independente, como diz o provérbio, aplicados continuamente a seduzir os ouvidos dos tolos com ninharias e fábulas ridículas. É surpreendente que, com tal bagagem, eles prometem a si mesmos a imortalidade, uma vida igual à dos Deuses, e se acreditam capazes de assegurá-la aos outros. Esta categoria, que está mais que todas a serviço do Amor-próprio e da Adulação, é em todo o gênero humano a que me honra com mais sinceridade e constância.

Também os Oradores pertencem à minha corporação, embora às vezes se afastem de mim e se aliem aos filósofos. Entre outras tolices, repreendo-os por terem escrito tantas vezes, e com tanta seriedade, sobre a arte de gracejar. O autor do tratado da *Retórica a Herênio*, seja ele quem for, menciona a Loucura entre as facécias e Quintiliano, de longe o príncipe desta profissão, tem um capítulo sobre o riso que é mais longo do que a *Ilíada*! Para eles a Loucura tem tanto valor que muitas vezes provocam o riso para resolver o que não conseguem resolver por nenhum argumento. É a mim, portanto, que recorrem, porque é o meu papel provocar o riso com palavras jocosas.

São farinha do mesmo saco os Escritores, que aspiram a uma reputação imortal publicando livros. Todos me devem muito, mas sobretudo os que rabiscam no papel simples futilidades. Quanto aos que submetem sua erudição ao julgamento de um pequeno número de sábios e não recusam como juízes nem Pérsio nem Lélio, estes me parecem muito mais dignos de lástima do que felizes, em vista da tortura sem fim que se impõem. Acrescentam, mudam, suprimem, põem de lado, retomam, corrigem, mostram o trabalho aos amigos, guardam-no por nove anos, nunca satisfeitos; e a glória, fútil recompensa que poucos recebem, eles a pagam à custa de tantas vigílias, privações, suores, aborrecimentos e perda de sono, o bem mais precioso de todos. Acrescentemos ainda a perda da saúde e da beleza, a inflamação dos olhos ou até a cegueira, a pobreza, a inveja, a privação dos prazeres, a velhice precoce, a morte prematura e outras coisas do gênero. Com tantos sacrifícios, nosso sábio acredita comprar a aprovação de um ou outro míope.

Mas o meu escritor goza de um delírio mais feliz e sem serões e vigílias põe por escrito tudo o que lhe vem à mente, transcreve seus sonhos, não gastando mais do que seu papel, consciente de que, quanto mais fúteis forem suas futilidades, tanto mais aplausos conquistará, os da unanimidade dos loucos e dos ignorantes. O que lhe importam os três sábios que poderiam ler essas futilidades e desprezá-las? Quanto pesará a opinião de um pequeno número de sábios diante da imensa multidão dos que os contestam?

Mais prudentes são os que sabem atribuir a si as obras de outros. Atribuem a si a glória que caberia a outro por seu grande trabalho, confiando que, mesmo que o plágio venha a ser descoberto, eles terão desfrutado a glória por algum tempo. Como se envaidecem ao serem elogiados pelas pessoas, ao serem apontados com o dedo na multidão: "Este é aquele homem famoso!" Ou quando os livreiros as expõem nas vitrinas e no título de suas obras leem-se três nomes, geralmente exóticos e cabalísticos. Deuses imortais! O que são estes nomes senão meras palavras? E há poucas pessoas no vasto mundo capazes de compreender-lhes o sentido e menos ainda capazes de aprová-las, já que mesmo entre os ignorantes há diversidade de gostos. Estes nomes, na realidade, são muitas vezes inventados ou tirados de livros antigos. Um gosta de chamar-se Telêmaco, outro Esteleno ou Laerte, outro Polícrates, outro Trasímaco: poderiam dar a seus livros o título de *Camaleão* ou *Abóbora* ou, como costumam os filósofos, escrever *Alfa* ou *Beta*.

O mais divertido é vê-los trocar elogios entre si por meio de cartas e poemas. É o elogio do louco pelo louco, do ignorante pelo ignorante. O sufrágio de um proclama o outro um perfeito Alceu e este o saúda como um verdadeiro Calímaco. Aquele que te considera superior a M. Túlio Cícero, tu o declaras mais sábio do que Platão. Às vezes escolhe-se um antagonista para aumentar a própria reputação competindo com ele. "O público indeciso se divide em opiniões contrárias", até que os dois chefes se proclamam vencedores do combate e celebram seu triunfo. Os sábios se riem, com toda razão, desta extrema loucura. Eu não a nego. Entretanto, é graças a mim que levam uma vida feliz, a ponto de não trocarem seus triunfos pelos dos Cipiões.

Mas estes sábios, que com tanto prazer riem destes disparates e se deleitam com a loucura dos outros, têm uma não pequena dívida comigo e não poderiam negá-la sem ser os mais ingratos dos homens.

51. Entre os sábios, os Jurisconsultos reivindicam o primeiro lugar e ninguém é mais vaidoso do que eles. Rolam assiduamente a pedra de Sísifo, amontoando com um só sopro milhares de leis sobre um tema com o qual elas nada têm a ver. Acumulando glosa sobre glosa, opinião

sobre opinião, dão a impressão de que sua ciência é a mais difícil. Imaginam, com efeito, que tudo o que dá trabalho é meritório.

Acrescentemos a eles os Dialéticos e os Sofistas, raça de homens que faz mais barulho do que o bronze de Dodona; um só deles venceria em tagarelice vinte mulheres escolhidas a dedo. Seriam mais felizes se fossem apenas tagarelas, mas são também briguentos ao ponto de digladiar-se obstinadamente por coisas ridículas e na maioria das vezes, à força de discutir, perderem de vista a verdade. No entanto, seu Amor-próprio os torna felizes, porque três silogismos os tornam suficientemente armados para logo pelejar contra qualquer um sobre qualquer assunto. E sua obstinação os torna invencíveis, mesmo em face de um Estentor.

52. Depois destes vêm os Filósofos, respeitáveis pela barba e pelo manto, e que se declaram os únicos sábios e veem no restante dos mortais sombras inquietas. Entram em êxtase quando constroem inumeráveis mundos, quando medem com o polegar e a corda o sol, a lua, as estrelas, as esferas, quando explicam com segurança as causas dos raios, dos ventos, dos eclipses e de outras coisas inexplicáveis, como se fossem secretários da Natureza arquiteta do universo ou delegados do conselho dos Deuses. Enquanto isso, a Natureza ri magnificamente deles e de suas conjecturas, porque não possuem nenhum conhecimento seguro, e a prova disto são as intermináveis contendas entre eles a respeito de todos os assuntos. Não sabem nada e se vangloriam de conhecer tudo. Ignorantes de si mesmos, às vezes não percebem a vala ou a pedra no caminho, seja por fadiga da

visão ou por distração da mente. No entanto, têm a pretensão de ver claramente as ideias, os universais, as formas separadas, os primeiros elementos, as quididades, as ecceidades, coisas tão subtis que acredito que nem Linceu seria capaz de enxergar. Desprezam particularmente a plebe profana, todas as vezes que seus triângulos, quadrados, círculos e outras figuras geométricas, entrelaçadas e confusas como numa espécie de labirinto, com as letras do alfabeto dispostas em ordem de batalha, e depois repetidas em outra ordem, lançam nos olhos dos ignorantes uma poeira que os deixa cegos. Também não faltam entre eles os que predizem o futuro através dos astros, prometem milagres superiores aos da magia e têm a sorte de encontrar pessoas que lhes dão crédito.

53. Talvez fosse melhor passar em silêncio os Teólogos, não agitar as águas da mefítica lagoa de Camarina, não tocar nesta erva-fedegosa. Raça espantosamente arrogante e irritável, eles poderiam avançar contra mim com um esquadrão de mil conclusões e, se eu recusasse retratar-me, me denunciariam imediatamente como herege. É este o raio com que aterrorizam instantaneamente os que não gozam de sua simpatia. Talvez não haja ninguém menos inclinado a reconhecer meus benefícios, embora eu os tenha cumulado de favores. Seu Amor-próprio os transporta ao terceiro céu e, lá do alto, olham para o resto dos mortais como um rebanho rastejando sobre a terra, e quase sentem compaixão deles. Rodeados de um exército de definições magistrais, conclusões, corolários, proposições explícitas e implícitas, estão munidos de tantos subterfúgios que sabem escapar até das redes de Vulcano por meio das distinções de

que dispõem e que cortam todos os nós mais facilmente do que a machadinha de Tênedos. Seu estilo transborda de neologismos e termos extraordinários. Explicam ao seu arbítrio os mistérios arcanos: como o mundo foi criado e disposto; por quais canais a mácula do pecado passou para a posteridade; por que meios, em que medida e em quanto tempo o Cristo foi completado no seio da Virgem; de que maneira, no sacramento da Eucaristia, os acidentes subsistem sem a matéria.

Mas estas são questões triviais e corriqueiras. Os grandes teólogos, os iluminados, como os chamam, preferem outras que consideram mais dignas deles e que os excitam mais: se houve um instante preciso na geração divina; se houve diversas filiações em Cristo; se é possível sustentar que Deus Pai odeia o Filho; se Deus poderia ter assumido a forma de uma mulher, de um diabo, de um asno, de uma abóbora ou de uma pedra; se a abóbora teria pregado, teria feito milagres ou teria sido pregada na cruz. O que Pedro teria consagrado, caso celebrasse enquanto o corpo de Cristo estava pendurado na cruz? Podia-se dizer nesse momento que Cristo era homem? Depois da ressurreição será possível comer e beber? Nossos teólogos se previnem já agora contra a fome e a sede.

São inumeráveis as tolices, e mais subtis do que as precedentes, sobre os instantes, as noções, as relações, as formalidades, as quididades, as ecceidades, que só o olho de Linceu é capaz de perceber; e ainda lhe seria necessário distinguir através das mais espessas trevas o que não existe. A estas acrescentem-se sentenças tão paradoxais que as dos estoicos, que trazem o nome de paradoxos, parecem, em comparação com elas, simples banalidades e lugares-comuns. Dizem, por exemplo:

"Matar mil homens é um pecado menor do que consertar o sapato de um pobre no domingo". Ou: "É preferível deixar perecer o universo inteiro, com tudo o que ele contém, a dizer uma única mentirinha, por mais insignificante que seja". Os métodos dos escolásticos tornam ainda mais sutis estas sutilíssimas sutilezas. É mais fácil sair de um labirinto do que escapar das intrincadas redes dos realistas, nominalistas, tomistas, albertistas, occamistas escotistas, para citar apenas as escolas principais. Em todas elas há tanta erudição e tantas dificuldades que os próprios apóstolos precisariam receber um outro Espírito para disputar sobre estas coisas com este novo gênero de teólogos.

Paulo mostrou que tinha fé, mas a definiu de maneira pouco magistral ao dizer: "A fé é o fundamento das coisas que se esperam e a prova das coisas que não se veem". Ele praticava perfeitamente a caridade, mas não a divide nem a define de acordo com as regras da dialética no capítulo 13 da primeira carta aos Coríntios. Certamente os apóstolos consagravam devotamente a Eucaristia; no entanto, se fossem interrogados sobre o termo *a quo* e o termo *ad quem*, sobre a transubstanciação, sobre a maneira como o mesmo corpo pode estar ao mesmo tempo em diversos lugares, sobre a diferença entre o Corpo de Cristo no céu, na cruz e no sacramento da Eucaristia, sobre o momento em que acontece a transubstanciação, já que as palavras pelas quais é realizada têm vários instantes de duração, com certeza suas repostas seriam menos sutis do que as dissertações e definições dos escotistas. Os apóstolos conheciam a mãe de Jesus, mas qual deles demonstrou que ela foi isenta da mancha de Adão com tanta precisão filosófica como o fizeram os nossos teólogos? Pedro recebeu as chaves, e certamente as recebeu daquele que não as confiaria a um indigno, mas não sei se ele teria compreendido esta ideia sutil: Como pode possuir a chave da ciência aquele que não possui a ciência? Eles batizavam em todos os lugares; no entanto, em nenhum lugar ensinaram qual é a causa formal, material, eficiente e final do batismo e nunca mencionaram seu caráter delével e indelével. Eles adoravam certamente, mas em espírito, limitando-se a seguir esta palavra evangélica: "Deus é espírito e os que o adoram devem adorá-lo em espírito e verdade". Não consta que lhes tenha sido revelado que uma imagenzinha desenhada a carvão na parede deva receber a mesma adoração que se presta a Cristo, se essa imagem apresentar dois dedos estendidos, cabelos longos e três raios ao redor da coroa da cabeça. Para saber estas coisas, não é necessário ter estudado pelo menos durante trinta e seis anos a física e a metafísica de Aristóteles e Duns Scotus?

Os apóstolos falam muitas vezes da graça, mas nunca distinguem entre graça gratuita e graça gratificante. Exortam às boas obras, mas não distinguem entre obra operante e obra operada. Ensinam a caridade, mas não separam a caridade infusa da caridade adquirida, nem explicam se ela é um acidente ou uma substância, uma coisa criada ou incriada. Abominam o pecado, mas duvido que soubessem dar uma definição científica daquilo que nós chamamos de pecado, a não ser que tivessem estudado com os escotistas. Ninguém me fará crer que Paulo, por cujo saber avaliamos o saber de todos, teria condenado tantas vezes as questões, discussões, genealogias e o que ele chama de logomaquias, se tivesse sido iniciado nestas argúcias. E no entanto, todas as controvérsias e disputas daquele tempo eram estúpidas e grosseiras em comparação com as de nossos mestres, mais sutis do que o próprio Crisipo.

Estes doutores são, no entanto, extremamente modestos: não condenam o que os apóstolos escreveram de imperfeito e pouco magistral, mas o interpretam de maneira conveniente. Fazem-no em consideração, em parte, à Antiguidade e, em parte, ao título de apóstolo. E, na verdade, seria pouco justo esperar dos apóstolos grandes ensinamentos a respeito dos quais seu mestre nunca lhes disse uma palavra. Mas, se essa insuficiência ocorre em Crisóstomo, Basílio ou Jerônimo, contentam-se em anotar: "Não estou obrigado a aceitar". Foi mais por sua vida e milagres do que por silogismos que estes doutores refutaram os filósofos pagãos e judeus, muito obstinados por natureza, já que nenhum destes era capaz de compreender um único *quodlibetum* de Duns Scotus. Mas hoje, que pagão ou que herege não se dá logo por vencido diante de tantas finas sutilezas? Mas existem, é verdade, os que são bastante estúpidos para não entendê-las, ou bastante descarados para vaiá-las, ou munidos com os mesmos sofismas para combater em pé de igualdade. Temos então mágicos lutando contra mágicos ou alguém com uma espada encantada lutando contra outro munido também de uma espada encantada, não conseguindo mais do que desfazer a teia de Penélope.

A meu ver, os cristãos fariam muito bem se, em vez dos pesados exércitos que há tanto tempo não conseguem vitórias, enviassem contra os turcos e os sarracenos os ruidosos Escotistas, os teimosos Occamistas e os invencíveis Albertistas e todo o esquadrão dos Sofistas. Eles assistiriam, no meu entender, à mais divertida batalha e a uma vitória inédita. Quem seria tão frio a ponto de não inflamar-se com seus dardos? Quem seria tão estúpido a ponto de não excitar-se com seus aguilhões? Quem teria vista tão boa para não ofuscar-se com as densas trevas que eles espalham?

Talvez penseis que digo tudo isto por zombaria. Seria natural, já que existem entre eles teólogos mais instruídos que sentem náusea destas sutilezas teológicas e as consideram futilidades. Há os que consideram execrável e quase um sacrilégio, e de extrema impiedade, falar de forma tão irreverente sobre coisas tão santas que pedem mais adoração do que explicação, discutir sobre elas com as mesmas argúcias dos pagãos, defini-las de forma tão arrogante e conspurcar a majestade da divina teologia com palavras e opiniões tão vãs e até sórdidas. Enquanto isso, estão satisfeitos e se congratulam em sua felicidade, tão absorvidos noite e dia com estas amáveis bufonerias que não lhes sobra tempo para folhear uma vez o Evangelho ou as epístolas paulinas. E, enquanto dizem frivolidades em suas escolas, acreditam que a Igreja universal se sustenta nos pilares dos silogismos e desmoronaria sem eles, como os poetas afirmam que Atlas sustenta o céu em seus ombros.

Quanta felicidade os invade ao modelar e remodelar a seu gosto as Escrituras sagradas como se fossem de cera; ao apresentar suas conclusões, já aprovadas por alguns escolásticos, como superiores às leis de Sólon e preferíveis aos decretos pontifícios; ao se fazerem censores do mundo e exigirem retratação de tudo quanto não se adapta exatamente às suas conclusões explícitas ou implícitas; enfim, ao pronunciarem como uma espécie de oráculo: “Esta proposição é escandalosa; esta outra é irreverente; esta cheira a heresia; aquela soa mal”. De modo que nem o batismo, nem o Evangelho, nem Paulo ou Pedro, nem São Jerônimo ou Agostinho, nem mesmo Tomás, o aristotélico supremo, poderiam fazer um cristão sem o beneplácito destes bacharéis, grandes juízes em sutilezas. Quem acreditaria que não é cristão aquele que considera equivalentes estas duas fórmulas: "urinol, cheiras mal" e "o urinol cheira mal", ou então: "ferver na panela" e "ferver a panela", se estes sábios não o tivessem ensinado? Quem teria libertado a Igreja de tantos erros, que na verdade ninguém teria reparado, se estes não os tivessem assinalado sob o signo das universidades? Como são felizes ao exercer esta atividade e ao descrever minuciosamente todas as coisas do Inferno, como se tivessem passado muitos anos nesta república; e ao fabricar, ao seu capricho, novas esferas celestes, acrescentando a mais extensa e mais bela, a fim de não faltar espaço para as almas bem-aventuradas poderem passear, banquetear-se e divertir-se com o jogo da pela! Estas tolices e mil outras semelhantes enchem e recheiam suas cabeças a tal ponto que o cérebro de Júpiter estava menos sobrecarregado quando implorou o machado de Vulcano para dar à luz Palas. Portanto, não vos admireis de vê-los, nos dias de controvérsias públicas, com a cabeça cuidadosamente cingida com tantas faixas, porque sem esta precaução ela estouraria em mil pedaços.

Eu mesma muitas vezes não contenho o riso ao constatar a maneira como estabelecem sua superioridade teológica. Esta cabe a quem emprega a linguagem mais bárbara e mais obscena e a quem gagueja a tal ponto que só um gago pode entender. Consideram profundo aquilo que o público não consegue acompanhar. Julgam até indigno das Escrituras sagradas submeter-se às leis dos gramáticos. Seria admirável a prerrogativa dos teólogos de serem os únicos a falar incorretamente, se não a compartilhassem com muitos da plebe. Por fim, acreditam-se próximos dos Deuses sempre que são saudados devotamente com o título de *magister noster*. Julgam que a palavra equivale ao tetragrama dos judeus: YHWH. Por isso consideram um sacrilégio escrever o título de outra forma que não seja com letras maiúsculas *MAGISTER NOSTER*. E se alguém, invertendo a ordem das palavras, dissesse *noster magister*, lesaria certamente a majestade do nome teológico.

54. Logo depois da felicidade dos teólogos vem a dos que comumente se chamam Religiosos e Monges. Trata-se de uma designação duplamente falsa, porque a maioria deles está muito longe da religião e porque não há ninguém que circule mais do que eles por toda parte. No meu entender, eles seriam os mais infelizes dos homens, se eu não os socorresse de mil maneiras. Esta espécie é execrada universalmente, a tal ponto que um simples encontro casual com eles é considerado de mau agouro; e, no entanto, eles têm de si mesmos uma opinião magnífica. Em primeiro lugar, consideram o mais alto grau de piedade o fato de serem tão iletrados a ponto de nem sequer saberem ler. Em seguida, quando zurram como asnos nas igrejas, cantando seus salmos, que eles enumeram sem os compreender, acreditam alegrar os ouvidos dos habitantes celestiais. Muitos se vangloriam de sua imundície e mendicância, batem às portas pedindo pão aos berros e por toda parte invadem os albergues, as carruagens, os barcos, com grande prejuízo dos outros mendigos. Homens amáveis que, pela imundície, pela ignorância, pela grosseria e pelo descaramento, pretendem representar os Apóstolos.

O mais divertido é que todos os seus atos seguem uma regra, baseada num raciocínio matemático, que é um crime imperdoável transgredir: o número de nós das sandálias, a cor do cíngulo, a variedade de cores das vestes, o pano e a largura do cíngulo, a forma e o tamanho do capuz, a largura da tonsura, o número de horas destinadas ao sono. Quem não vê como é desigual esta igualdade numa tão grande diversidade de corpos e de temperamentos? Por estas bagatelas não só desprezam totalmente os outros, mas os de uma ordem desprezam os de outra. Homens que professam a caridade apostólica desencadeiam violentas disputas por causa de um hábito amarrado de maneira diferente ou de uma cor um pouco mais escura. Rigidamente apegados aos seus costumes religiosos, alguns trazem o hábito de lã de cabra e a camisa de linho de Mileto; outros, ao contrário, trazem o linho por cima e a lã por baixo. Há os que temem como um veneno o contato com o dinheiro, mas não evitam o vinho nem o contato com as mulheres. Todos desejam singularizar-se por seu estilo de vida. O que ambicionam não é assemelhar-se a Cristo, mas diferenciar-se uns dos outros. Grande parte de sua felicidade está nos cognomes: uns se orgulham de chamar-se Franciscanos e entre eles se distinguem os Coletanos, os Menores, os Mínimos e os Bulistas. E temos também os Beneditinos, os Bernardinos, os Brigidenses, os Agostinianos, os Guilhermitas, os Jacobitas, como se não bastasse chamar-se Cristãos!

A maioria deles confia tanto em suas cerimônias e pequenas tradições humanas que um único céu é pouco para recompensá-los. Esquecem que Cristo, desprezando todas estas coisas, só lhes pedirá se obedeceram ao seu preceito, o da caridade. Um mostrará a barriga cheia de todo tipo de peixes; outro despejará cem alqueires de salmos; outro contará seus milhares de jejuns, em que a única refeição do dia lhe encheu o estômago a ponto de quase estourar; outro apresentará um acervo tão grande de práticas religiosas que sete navios de carga serão insuficientes para transportar; outro se vangloriará de nunca ter tocado dinheiro durante sessenta anos sem um par de luvas a cobrir-lhe os dedos; outro apresentará um hábito tão sujo e cheio de gordura que nenhum marinheiro o colocaria sobre o corpo; outro lembrará que viveu mais de onze lustros num mesmo lugar, grudado a ele como uma esponja; outro alegará que ficou rouco de tanto cantar; outro dirá que contraiu uma letargia por causa da solidão; outro atrofiou a língua por causa do contínuo silêncio.

Mas Cristo interromperá esta série infinda de glorificações e lhes perguntará: "Que nova espécie de judeus é esta? Reconheço como minha uma única lei, e a respeito desta não ouço nenhuma palavra. Outrora, de maneira clara e sem usar o véu das parábolas, prometi a herança de meu Pai não a capuzes, pequenas orações ou abstinências, mas à prática das obras de caridade. Não reconheço estes que reconhecem demais seus próprios méritos. Se querem parecer mais santos do que eu, que vão ocupar à vontade os céus dos Abraxas, ou peçam que lhes construam um novo céu aqueles cujas mesquinhas tradições eles puseram acima dos meus preceitos". Quando ouvirem estas palavras e virem os marinheiros e cocheiros serem preferidos, com que cara olharão uns para os outros?

Entretanto, graças a mim, se sentem felizes em sua esperança. E, embora vivam afastados da coisa pública, ninguém ousa desprezá-los, especialmente os Mendicantes, porque estão a par dos segredos de todos por meio daquilo que chamam de confissões. É verdade que consideram um crime trair este segredo, a não ser que tenham bebido e queiram se divertir com histórias mais aprazíveis; dão livre curso às conjecturas, mas sem entregar os nomes. Não irriteis estas vespas, porque elas se vingariam nos sermões apontando o inimigo com alusões indiretas, mas que todo mundo entende se tiver um pouco de sagacidade. Só terminarão de latir se lhe puserem a ração na boca.

Que comediante, que charlatão preferiríeis a estes pregadores, com sua retórica totalmente ridícula, mas hábeis em imitar aquilo que os mestres da retórica ensinaram? Deuses imortais! Como sabem gesticular, variar a voz, cantarolar, agitar-se, mudar sucessivamente a expressão do rosto e gritar a toda hora! Esta arte de pregar é um segredo que um irmãozinho passa para o outro. Mesmo sem ser iniciada nesta arte de pregar, arrisco-me a fazer algumas conjecturas. Começam com uma invocação, uso aprendido dos poetas; depois, se precisam falar da caridade, tiram o exórdio do Nilo, rio do Egito; se irão contar o mistério da Cruz, recorrem ao dragão Bel da Babilônia; se forem discorrer sobre o jejum, lembram os doze signos do Zodíaco; e, querendo falar da fé, dissertam longamente sobre a quadratura do círculo.

Eu mesma ouvi um louco insigne – perdão, eu queria dizer: um homem sábio – explicar numa assembleia famosa o mistério da Santa Trindade. Para mostrar que sua ciência não era vulgar e satisfazer os ouvidos teológicos, enveredou por um caminho realmente novo: falou das letras do alfabeto, das sílabas, das partes do discurso, da concordância do sujeito com o verbo, do adjetivo com o substantivo. A maior parte do auditório estava admirada e alguns cochichavam entre si o verso de Horácio: "Aonde levam todas estas sandices?" Por fim deduziu que toda a Trindade estava figurada nos rudimentos dos gramáticos e que as figuras matemáticas não representariam este mistério com mais clareza. E para elaborar este discurso aquele príncipe dos teólogos suou durante oito meses e hoje está mais cego do que uma toupeira, porque toda a acuidade dos olhos foi absorvida a serviço de sua mente. Nosso homem não lamenta a cegueira, considerando-a um preço barato pela glória conquistada.

Ouvi um outro orador, este octogenário e tão teólogo que teríeis acreditado estar diante do próprio Duns Scotus ressuscitado. Ao explicar o mistério do nome de Jesus, mostrou com admirável sutileza que as letras deste nome contêm tudo o que se pode dizer do próprio Jesus. Na declinação em latim a terminação muda três vezes, o que é um símbolo evidente da Trindade divina. A primeira forma *Jesus* termina em *s*, a segunda forma *Jesum* termina em *m*, a terceira forma *Jesu* termina em *u*, o que esconde um inefável mistério: estas três pequenas letras indicam, com efeito, que Jesus é o começo (*summum*), o meio (*medium*) e o fim (*ultimum*). Restava um mistério ainda mais recôndito, resolvido pela matemática. O orador dividiu o nome de Jesus em duas partes iguais, isolando a letra *s* que fica no meio. Em seguida mostrou que esta letra é a que os hebreus chamam *syn*; e *syn* na língua escocesa, creio eu, significa pecado. E daí concluiu, com toda evidência, que Jesus era aquele que tira os pecados do mundo! Este exórdio tão novo deixou todos, especialmente os teólogos, tão estupefatos que faltou pouco para sofrerem a mesma sorte de Níobe. Quanto a mim, quase me aconteceu a mesma coisa que aconteceu àquele Príapo de figueira que teve a infelicidade de assistir aos ritos noturnos de Canídia e de Sagana.

E, na verdade, não faltavam motivos. Jamais o grego Demóstenes ou o latino Cícero começaram um discurso desta maneira. Eles consideravam vicioso um exórdio estranho ao tema. Não é desta maneira que começam seus discursos os guardadores de porcos, bons alunos da Natureza! Mas estes sábios pensam que seu exórdio, chamado por eles de preâmbulo, é uma obra-prima de retórica quando não tem relação alguma com o resto do tema e o ouvinte, maravilhado, sussurra consigo: "Como ele sairá dessa?"

Em terceiro lugar, tomam em vez de narrativa alguma coisa do Evangelho, e a expõem rapidamente como que de passagem, quando só nela deveriam concentrar-se. Em quarto lugar, mudando de papel, abordam uma questão de teologia, que muitas vezes não tem relação nem com a terra nem com o céu, e consideram isto uma obra de arte. Por fim, ostentando arrogância teológica, buzinam aos ouvidos títulos pomposos: doutores solenes, doutores sutis, doutores sutilíssimos, doutores seráficos, doutores santos, doutores irrefragáveis. Impõem à plebe ignorante silogismos maiores, silogismos menores, conclusões, corolários, suposições, frivolidades escolásticas de pouca importância. Resta o quinto ato, no qual o artista deve superar-se. E aqui eles trazem alguma fábula tola e simplória tirada, por exemplo, do *Speculum historiale* ou dos *Gesta Romanorum*, e a interpretam sucessivamente através da alegoria, da tropologia e da anagogia. E assim acabam de produzir sua Quimera, um monstro tal que nem Horácio pôde imaginar quando escrevia: "Acrescentai à cabeça humana" etc. no início de sua *Arte poética*.

Mas aprenderam não sei de quem que o exórdio de um discurso deve ser pronunciado calmamente e sem elevar a voz. Começam, portanto, a falar num tom tão baixo que eles próprios mal conseguem ouvir sua própria voz, como se houvesse pouco interesse em falar, para não ser compreendido por ninguém. Ouviram dizer que, para comover, é preciso usar exclamações. Por isso, passam bruscamente, e sem necessidade, da voz calma ao grito furioso. Dever-se-ia aplicar uma dose de heléboro a quem grita assim fora de propósito. Além disso, disseram-lhes que convém elevar progressivamente o tom do discurso; por isso, depois de recitar sofrivelmente o início de cada parte, aumentam de repente a veemência da voz, mesmo para dizer as coisas mais simples, e terminam como se tivessem perdido o fôlego. Enfim, aprenderam que a retórica utiliza o riso e, por isso, procuram salpicar seu sermão com algumas pilhérias, tão cheias de graça e tão a propósito, ó cara Afrodite, que parecem o asno tocando a lira! Às vezes chegam a repreender; mas o fazem de tal maneira que mais afagam do que ofendem, sabendo que nunca se lisonjeia melhor do que quando se aparenta falar com a maior liberdade. Em suma, ao ouvi-los falar, julgar-se-ia que seus mestres foram os charlatães da feira, que de resto lhes são muito superiores. Em todo caso, são tão parecidos a ponto de ninguém duvidar que estes aprenderam sua retórica daqueles ou aqueles a aprenderam destes. E, no entanto, graças a mim, eles encontram admiradores que, ao ouvi-los, acreditam ouvir verdadeiros Demóstenes e Cíceros. São principalmente comerciantes e mulherzinhas, cujos ouvidos eles assediam com suas lisonjas. Os primeiros, ao serem convenientemente bajulados, costumam deixar-lhes uma pequena parte de seus bens mal-adquiridos. As mulheres têm muitos motivos para estimá-los, sobretudo poderem desafogar no peito deles as mágoas que têm contra seus maridos.

Vedes, acredito, o quanto me deve este tipo de homens que, com suas cerimônias e parvoíces ridículas e com seus gritos, exercem certa tirania entre os mortais e se acreditam verdadeiros Paulos e Antônios.

55. Mas de bom grado deixo de lado estes histriões, cuja ingratidão dissimula meus favores e cuja hipocrisia aparenta piedade.

Já há tempo eu desejava falar dos Reis e Príncipes da corte que, como convém a homens livres e nobres, me prestam um culto sincero.

E na verdade, se tivessem um mínimo de bom-senso, que vida seria mais triste do que a deles ou deveria ser mais evitada? Ninguém iria comprar a coroa a preço de um perjúrio ou de um parricídio, se refletisse no peso do fardo que recai sobre os ombros daquele que quer realmente cumprir os deveres de um príncipe. Quem assumiu o governo deve ocupar-se dos negócios públicos e não dos privados, visar apenas o bem comum, não afastar-se um dedo sequer da observância das leis que ele promulgou e deve executar, exigir integridade de todos os funcionários e magistrados. Todos os olhares se voltam para ele, porque pode, por suas virtudes, ser o astro benfazejo que assegura a salvação dos homens ou o cometa letal que lhes traz a suprema calamidade. Os vícios dos outros não têm tanta importância nem tanta influência, mas o príncipe ocupa tal posição que o mínimo desvio da boa conduta espalha o mau exemplo universal. Favorecido pela fortuna, o príncipe está cercado de muitas seduções que costumam desviá-lo do bom caminho; entre os prazeres, a liberdade, a adulação, o luxo, ele deve esforçar-se muito e ter muito cuidado para não se enganar e nunca faltar ao seu dever. Por fim, sem falar das emboscadas, ódios, e outros perigos e medos, ele sente sobre sua cabeça o Rei verdadeiro, que não tardará a pedir-lhe contas da mínima falta cometida e que será tanto mais severo com ele quanto maior o império a ele confiado.

Na verdade, se os príncipes ponderassem estas coisas e muitas outras, e o fariam se fossem sábios, creio que não conseguiriam dormir nem comer em paz. Mas agora eu trago meu favor: eles deixam todos estes cuidados aos Deuses, vivem na ociosidade e só ouvem os que sabem falar de coisas agradáveis e afastar toda preocupação. Acreditam cumprir plenamente sua função real se saem assiduamente para caçar, se criam belos cavalos, se vendem em seu proveito magistraturas e prefeituras, se inventam diariamente novas maneiras para diminuir os bens dos cidadãos e trazê-los para seu erário. Encontram hábeis pretextos para dar uma aparência de justiça à pior iniquidade e acrescentam algumas lisonjas para granjear a simpatia das massas populares.

Imaginai agora o Príncipe como ele muitas vezes é: ignora as leis, é bastante hostil ao bem público, visa seus interesses particulares, entrega-se aos prazeres, tem aversão ao saber, odeia a independência e a verdade, não pensa absolutamente na saúde pública, condicionando tudo à sua vontade e ao seu proveito. Dai-lhe um colar de ouro, símbolo de todas as virtudes reunidas;

adornai sua cabeça com uma coroa resplandecente de pedras preciosas, para lembrá-lo de que deve superar a todos por um conjunto de virtudes heroicas; acrescentai o cetro, emblema da justiça e de um coração incorrupto; e, por fim, revesti-o com a púrpura, que significa a perfeita dedicação ao Estado. Se um príncipe souber comparar sua conduta com estas insígnias de sua função, acredito que ele se envergonharia destes adornos e temeria que algum intérprete satírico venha expor ao ridículo toda esta pompa teatral.

56. O que direi dos grandes da corte? Não existe nada mais rastejante, mais servil, mais tolo, mais vil do que a maior parte deles; e, no entanto, pretendem ocupar o primeiro lugar em toda parte. Num único ponto são os mais modestos: satisfeitos por trazer no corpo o ouro, as pedras preciosas, a púrpura e as outras insígnias das virtudes e da sabedoria, deixam aos outros o cuidado de praticá-las. Toda a sua felicidade consiste em ter o direito de chamar o rei de "senhor", em ter aprendido a saudá-lo em poucas palavras, em saber usar os títulos oficiais de *Vossa Sereníssima, Vossa Alteza, Vossa Excelência*. Perdem a vergonha e adulam festivamente: são estes os talentos do nobre e do cortesão.

De resto, se examinardes mais de perto todo o seu estilo de vida, vereis que eles vivem como verdadeiros feácios, como pretendentes de Penélope; conheceis o fim do verso que a ninfa Eco vos dirá melhor do que eu. Dormem até o meio-dia; um sacerdote contratado aproxima-se do leito e despacha rapidamente uma missa, que eles ouvem ainda meio deitados. Em seguida vem o desjejum e, logo após, espera-os o almoço. Depois é a hora dos dados, do xadrez, dos oráculos, dos bufões, dos palhaços, das mulheres, dos divertimentos e dos ditos espirituosos. Neste ínterim, um ou dois lanches. Em seguida vem a ceia e, depois, mais uma rodada de bebidas; e, por Júpiter, seria bom se não fosse mais do que uma! E desta maneira, sem risco de tédio, passam-se as horas, os dias, os meses, os anos, os séculos. Eu própria às vezes me afasto enojada destes personagens ao vê-los gabarem-se. As senhoras acreditam estar na companhia das Ninfas e se imaginam tanto mais próximas dos Deuses quanto mais longa for a cauda de seu vestido. Entre os grandes, um empurra o outro a cotoveladas para aparecer mais próximo de Júpiter, cada um procurando carregar ao pescoço uma corrente mais pesada que a dos outros para mostrar assim não só sua opulência, mas também sua força física.

57. Há muito tempo, os sumos pontífices, os cardeais e os bispos competem com os príncipes e quase os superam. Quanto aos bispos, a alva de linho, branca como a neve, é o emblema de uma vida sem mancha; a mitra de duas pontas, cujas extremidades estão unidas pelo mesmo nó, significa um conhecimento perfeito do Antigo e do Novo Testamento; as luvas que cobrem as mãos indicam que, na administração dos sacramentos, eles devem ser puros e livres de todo contágio com os negócios mundanos; o báculo simboliza a vigilância sobre o rebanho a eles confiado; a cruz que carregam à sua frente significa a vitória sobre todas as paixões humanas. Se pensassem nestas coisas e em muitas outras, não levariam uma vida triste e agitada? Mas hoje estes pastores não fazem senão alimentar-se bem. Deixam o cuidado pelo rebanho ao próprio Cristo, ou aos chamados irmãos ou a

seus vicários. Esquecem que seu nome – bispo – significa trabalho, cuidado, solicitude. Mas para pôr a mão no dinheiro agem como bispos, com os olhos bem abertos.

58. Da mesma forma os cardeais, se imaginam ser os sucessores dos apóstolos, deveriam pensar que se exigem deles as mesmas coisas que os apóstolos fizeram. Deveriam dar-se conta de que são os administradores e não os donos dos bens espirituais, dos quais em breve deverão prestar contas rigorosas. Se filosofassem ao menos um pouco sobre suas vestes, pensariam consigo: "O que significa esta brancura do roquete, senão a perfeita pureza dos costumes? O que significa esta sotaina de púrpura, senão o mais ardente amor a Deus? O que significa esse vasto manto de amplas dobras, que cobre toda a mula do reverendíssimo e poderia revestir até um camelo, senão a imensa caridade que deve estender-se a todos e acudir a todas as necessidades: instruir, exortar, repreender, admoestar, pôr fim às guerras, resistir aos príncipes maus e sacrificar generosamente não só suas riquezas, mas também seu sangue, pelo rebanho de Cristo? Que necessidade tem de riquezas aquele que desempenha o papel dos pobres apóstolos?" Se os cardeais refletissem sobre tudo isto, não ambicionariam o cargo que ocupam e de bom grado o abandonariam para levar uma vida de trabalho e dedicação como foi a dos antigos apóstolos.

59. Se os Sumos Pontífices, que ocupam o lugar de Cristo, se esforçassem por imitá-lo em sua pobreza, seus trabalhos, sua sabedoria, sua cruz e seu desprezo pela vida, se meditassem

sobre o nome de papa, que significa Pai, e sobre o título de Santíssimo, não seriam eles os mais infelizes dos homens? Quem emprega todos os seus recursos para comprar esta dignidade não deve depois defendê-la pela espada, pelo veneno e por todo tipo de violência? De quantas vantagens se privaria, se um dia a sabedoria entrasse nele! E nem precisava ser a sabedoria, mas bastava apenas um grão daquele sal de que Cristo falou. Quantas riquezas, quantas honras, quanto poder, quantas vitórias, quantos favores, quantos cargos, quantos tributos, quantas indulgências, quantos cavalos, quantas mulas, quantos guardas, quantos prazeres! Vedes que negócios, que colheita, que oceano de bens eu resumi em poucas palavras! Em lugar disso deveriam entrar vigílias, jejuns, lágrimas, orações, sermões, cuidados, suspiros e mil fadigas incômodas. E, não esqueçamos, o que seria de tantos escrivães, copistas, notários, advogados, promotores, secretários, almocreves, palafreneiros, banqueiros, alcoviteiros? – quase diria uma palavra mais atrevida, mas temo ferir os ouvidos. Em suma, esta imensa multidão que onera – perdão, enganei-me; eu quis dizer: que honra – a Sé romana seria reduzida à fome. Na verdade, seria desumano, abominável e muito mais detestável fazer voltar ao alforje e ao cajado os grandes príncipes da Igreja e verdadeiros luminares do mundo.

Hoje eles deixam a parte laboriosa de sua função a Pedro e Paulo, que têm tempo livre de sobra, e reservam para si as honras e os prazeres. Graças a mim, portanto, não existe categoria de homens com vida mais sossegada e com menos preocupações, porque acreditam que Cristo estará muito satisfeito quando eles se apresentam com sua pompa ritual e quase teatral, revestidos dos títulos de Beatitude, Reverendíssima e Santidade, e fazem o papel de bispos distribuindo bênçãos e anátemas. Fazer milagres é coisa antiga e obsoleta e não pertence mais ao nosso tempo; ensinar ao povo é trabalhoso e cansativo; interpretar as Escrituras sagradas cabe às escolas; rezar é inútil; derramar lágrimas é coisa de infelizes e de mulheres; passar necessidade é desonroso; ser vencido é vergonhoso e pouco digno de quem permite apenas aos maiores reis beijar-lhe os pés; e, por fim, morrer é odioso, e sobre uma cruz seria infamante.

As únicas armas que lhes restam são as doces bênçãos de que fala Paulo e que eles estão muito inclinados a prodigalizar: interditos, suspensões, censuras, anátemas, efígies vingativas e esse raio terrível que os faz precipitar, com um único gesto, as almas dos mortais abaixo do próprio Tártaro. Estes santos pais em Cristo, e vigários de Cristo, lançam esse raio com mais furor sobre aqueles que, por instigação do demônio, tentam diminuir ou arruinar aos poucos o patrimônio de Pedro. Embora este apóstolo tenha dito no Evangelho: “Deixamos tudo e te seguimos”, os papas lhe erigem em patrimônio territórios, cidades, tributos, postos de pedágio, domínios. Para conservar tudo isto, inflamados pelo amor de Cristo, combatem a ferro e fogo e fazem correr rios de sangue cristão. Acreditam defender apostolicamente a Igreja, esposa de Cristo, quando destroem violentamente os chamados inimigos. Como se os inimigos mais perniciosos da Igreja não fossem os pontífices ímpios, que por seu silêncio relegam ao esquecimento o Cristo, o acorrentam em leis de comércio, adulteram seu ensinamento com interpretações forçadas e o assassinam por sua conduta escandalosa!

Tendo sido a Igreja fundada pelo sangue, confirmada pelo sangue e dilatada pelo sangue, eles governam pela espada, como se Cristo não soubesse defender os seus à sua maneira. A guerra é uma coisa tão cruel que conviria mais às feras do que aos homens; tão insana que, de acordo com os poetas, foi enviada pelas Fúrias; tão pestilenta que destrói os costumes por onde passa; tão injusta que costuma ser administrada pelos piores bandidos; tão ímpia que não tem nada em comum com Cristo. Contudo, os papas deixam tudo de lado e fazem dela sua ocupação principal. Vemos entre eles velhos decrépitos mostrando um vigor juvenil, não se importando com os gastos, enfrentando o cansaço, não recuando diante de nada para virar de pernas para o ar as leis, a religião, a paz e todas as coisas humanas. E encontram aduladores doutos para dar a esta evidente loucura o nome de zelo, piedade, coragem, para demonstrar com argumentos como se pode desembainhar a espada mortífera e cravá-la nas entranhas de seu irmão sem faltar em nada a esta caridade perfeita para com o próximo que Cristo exige do cristão.

60. Neste ponto estou em dúvida se os bispos alemães deram o exemplo aos papas ou se os papas deram o exemplo aos bispos alemães. Alguns destes, deixando de lado o culto, as bênçãos e as outras cerimônias, agem abertamente como sátrapas a ponto de considerar covarde e pouco digno de um bispo entregar sua valente alma a Deus em outro lugar que não seja o campo de batalha.

O comum dos sacerdotes, considerando um crime não igualar seus prelados em santidade, combatem como verdadeiros soldados para defender seus dízimos e para isso usam espadas, dardos, fundas e todo tipo de armas. Como são perspicazes para descobrir nos escritos dos antigos algum texto que lhes permitirá intimidar a plebe e levá-la a crer que deve pagar-lhes o dízimo e algo mais! Mas esquecem de ler tudo o que está escrito sobre seus deveres para com este mesmo povo. A tonsura não os leva a refletir que o sacerdote deve estar livre de todas as paixões deste mundo e ocupar-se unicamente com as coisas celestes. Mas estes homens amáveis acreditam ter cumprido corretamente seus deveres quando resmungaram suas oraçõezinhas. Por Hércules! Não sei se um Deus poderia ouvi-las ou compreendê-las, já que eles próprios quase não ouvem nem compreendem, mesmo gritando bem alto!

Os sacerdotes têm em comum com os leigos o fato de serem todos rigorosos na coleta de seus emolumentos e em impor o reconhecimento de seus direitos. Se existe alguma função árdua, descarregam-na prudentemente nos ombros dos outros e, por assim dizer, passam a bola uns para os outros. Assemelham-se aos príncipes leigos que delegam a administração do reino aos ministros, e estes passam a delegação a substitutos. Certamente por modéstia os sacerdotes confiam todas as obras de piedade aos fiéis; os fiéis as confiam àqueles que eles chamam de eclesiásticos, como se eles próprios não tivessem nada a ver com a Igreja ou como se os votos de seu batismo tivessem sido apenas uma inútil cerimônia. Os sacerdotes que se dizem seculares, como se estivessem consagrados ao mundo e não a Cristo, entregam este fardo aos regulares, os regulares aos monges, os monges mais relaxados aos de estrita observância, todos juntos aos mendicantes, os mendicantes aos cartuxos; estes são os únicos nos quais se esconde a piedade, e se esconde tão bem que dificilmente alguém a percebe. Da mesma forma os papas, tão diligentes na colheita do dinheiro, confiam os trabalhos apostólicos aos bispos, os bispos aos párocos, os párocos aos vigários, os vigários aos frades mendicantes. E estes, por sua vez, os entregam àqueles que sabem tosquiar a lã das ovelhas.

Mas não é minha tarefa examinar a vida dos pontífices e dos sacerdotes, para ninguém pensar que estou fazendo uma sátira em vez do meu próprio Elogio e que minha intenção é censurar os príncipes bons enquanto elogio os maus. O pouco que eu disse de cada estado tem a única finalidade de mostrar que nenhum mortal pode viver feliz se não for iniciado nos meus mistérios e se eu não lhe for propício.

61. Poderia ser diferente, já que a Nêmesis de Ramnunte, árbitra da felicidade e da desgraça, concorda comigo e sempre combateu os sábios e prodigalizou todos os bens aos loucos, mesmo quando dormem? Conheceis o general ateniense Timóteo, ao qual se aplicariam muito bem seu sobrenome e o provérbio: "Fez sua pesca enquanto dormia"; e este outro: "A coruja de Minerva voa por mim". Dos sábios, pelo contrário, se diz: "Nasceram no quarto dia do mês", ou ainda: "Montam o cavalo de Sejano", ou: "Possuem o ouro de Tolosa", expressões que indicam infortúnio. Mas deixo de multiplicar os provérbios, para não parecer que surripiei os comentários de meu amigo Erasmo.

Portanto, vamos ao assunto: A Fortuna ama os pouco sábios, os mais ousados e temerários, os que gostam de dizer: "A sorte está lançada". Mas a Sabedoria torna as pessoas tímidas e, por isso, encontramos em todo lugar sábios na pobreza, na fome, na miséria, vivendo no esquecimento, sem glória e detestados. Os loucos, pelo contrário, nadam na opulência, ocupam cargos no governo do Estado, prosperam em todos os aspectos. Se alguém faz a felicidade consistir em agradar aos príncipes e a figurar entre os cortesãos, minhas divindades cobertas de pedras preciosas, o que há de mais inútil do que a Sabedoria, o que há de mais detestado entre esta categoria de pessoas? Se se trata de adquirir riquezas, que lucro terá o comerciante que segue os preceitos da Sabedoria? Ele recua diante do perjúrio, enrubesce quando é pego mentindo, adere mais ou menos aos escrúpulos dos sábios a respeito da fraude e da usura. Se alguém ambiciona as honras e as riquezas eclesiásticas, um asno ou um búfalo as conseguem mais depressa do que um sábio. Se alguém procura o prazer amoroso, as donzelas, que são a parte mais importante nesta questão, entregam-se inteiramente aos loucos e temem o sábio e fogem dele como de um escorpião. Por fim, os que desejam gozar alegremente a vida fecham a porta ao sábio e aceitam qualquer animal que vem. Em suma: para onde quer que nos voltemos, entre os pontífices, os príncipes, os juízes, os magistrados, os amigos, os inimigos, os grandes e os pequenos, tudo é feito por dinheiro vivo e, como o sábio o despreza, tem-se todo o cuidado de evitar sua companhia.

Embora meus elogios não tenham medida nem fim, é necessário, no entanto, que o discurso tenha um fim. Por isso vou terminar, mas não sem vos mostrar em poucas palavras que grandes autores me tornaram famosa por seus escritos e por seus atos; depois disto, ninguém dirá que eu sou a única a me admirar e os legistas não me acusarão de não apresentar textos em meu favor. A exemplo deles, aliás, citarei sem ordem nenhuma.

62. Em primeiro lugar, existe um provérbio universalmente admitido: "Se não tens uma coisa, é bom fingir que a tens". Por isso ensina-se às crianças o seguinte verso: "Parecer louco é a máxima sabedoria". Já podeis conjecturar como a Loucura é um grande bem, já que sua sombra enganadora e sua simples imitação bastam para merecer estes elogios dos doutos. Horácio, que se comparou a um gordo e reluzente porco do rebanho de Epicuro, se exprime mais francamente ainda quando recomenda misturar loucura aos nossos propósitos, embora não tenha razão em querê-la passageira. Ele diz em outro lugar: "É doce dizer parvoíces na ocasião certa" e, em outro lugar ainda, diz que prefere "parecer louco e ignorante a ser sábio e arreganhar os dentes". Já Homero, que cobre Telêmaco de louvores, chama-o mais de uma vez de menino tolo [*nêpios*] e os autores trágicos costumam dar este epíteto, como um bom presságio, às crianças e aos adolescentes. E o que contém o poema sagrado da Ilíada senão os furores e loucuras dos reis e dos povos? Cícero me fez o melhor elogio ao dizer: "O mundo está cheio de loucos". Pois ninguém ignora que o bem mais difundido é o mais excelente.

63. Mas talvez a autoridade destes tenha pouco peso entre os cristãos. Por isso apoiarei ou, como costumam dizer os doutos, fundamentarei os meus elogios sobre o testemunho das Escrituras sagradas. Que os teólogos me perdoem, mas a tarefa é difícil e talvez fosse o caso de invocar novamente as Musas do Hélicon; mas seria uma

viagem muito longa para um assunto que não lhes concerne. Seria mais conveniente para mim, já que faço o papel de teóloga e me aventuro por entre estes espinhos, invocar que a alma de Duns Scotus deixe por um instante a sua Sorbonne e entre em meu peito. Mais espinhosa que o porco-espinho e o ouriço, ela voltará depois para onde quiser, ou vá para o inferno se preferir. Eu gostaria de mudar de fisionomia e vestir o traje de teólogo. Mas temo ser acusada de furto como se tivesse saqueado às escondidas as gavetas dos nossos Mestres, quando me virem tão versada em teologia. Mas não é de estranhar se, depois de tão prolongada e íntima familiaridade com os teólogos, eu tenha adquirido algo de sua ciência, da mesma forma que Príapo, esse deus feito de figueira, anotou e guardou algumas palavras gregas daquilo que seu mestre lia diante dele. E o galo de Luciano, após longa convivência com os homens, não aprendeu sem dificuldade a linguagem humana?

Mas passemos ao assunto sob bons auspícios. Escreve o Eclesiastes no capítulo primeiro: "O número dos loucos é infinito". Quando diz que o número é infinito, não parece ele abranger todos os mortais, exceto alguns poucos, que não sei se alguém jamais viu? Jeremias é ainda mais explícito no capítulo 10, ao dizer: "Todos os homens se tornaram loucos através de sua própria sabedoria". Atribui a sabedoria somente a Deus e deixa a loucura aos homens. E um pouco antes havia dito: "O homem não se glorie de sua sabedoria!". Por que, caro Jeremias, não queres que o homem se glorie de sua sabedoria? Simplesmente, responderá ele, porque ele não tem sabedoria. Mas voltemos ao Eclesiastes. Quando ele diz: "Vaidade das vaidades, tudo é vaidade!", o que pensais que ele tinha em mente senão, conforme eu disse, que a vida humana não passa de um jogo da Loucura? Sem dúvida está aprovando o magnífico elogio ciceroniano acima citado: "O mundo está cheio de loucos". E, novamente, o que significam estas palavras do sábio Eclesiástico: "O louco muda como a lua, o sábio permanece como o sol"? Significa simplesmente que todo o gênero humano é louco e que só a Deus compete o nome de sábio. Com efeito, para os intérpretes a lua significa a natureza humana e o sol significa Deus, a fonte de toda luz. O próprio Cristo, no Evangelho, acrescenta que só Deus pode ser chamado de bom. E se quem não é sábio é louco, e todo aquele que é bom é sábio, como querem os estoicos, então necessariamente a Loucura abarca todos os mortais.

Diz ainda Salomão no capítulo 15: "A loucura faz a alegria do louco", reconhecendo assim claramente que, sem loucura, a vida não tem nenhum encanto. À mesma ideia refere-se esta outra passagem: "Quem aumenta a ciência aumenta a dor; quanto mais alguém sabe, mais ele se irrita". O excelente orador não confessa claramente a mesma coisa no capítulo 7: "O coração dos sábios está com a tristeza e o coração dos loucos está com a alegria"? Por isso não achou suficiente aprofundar-se na sabedoria e quis também conhecer-me a mim. Se duvidais, prestai atenção às suas próprias palavras no capítulo 1: "Apliquei meu coração a conhecer a sabedoria e a ciência, os erros e a loucura". Observai aqui, para honra da Loucura, que ele a nomeou em último lugar. Escreveu o Eclesiastes – e vós sabeis que esta é a ordem usada na Igreja – que o primeiro em dignidade venha em último lugar, o que está de acordo com o preceito evangélico. Mas que a Loucura é superior à Sabedoria é o que o livro do Eclesiástico, seja quem for seu autor, atesta claramente no capítulo 41. Por Hércules! Antes de fazer a citação, espero que ajudeis meu método indutivo com uma resposta adequada, como fazem nos diálogos de Platão os que disputam com Sócrates.

Que objetos convém esconder com mais cuidado: os que são raros e preciosos ou os que são vulgares e de pouco valor? Por que não respondeis? Se vos calais, este provérbio grego responderá por vós: "O cântaro é deixado junto à porta"; e, para que ninguém o rejeite, sabei que é de Aristóteles, deus dos nossos doutores. Existe entre vós alguém tão tolo a ponto de deixar na rua suas joias e seu ouro? Certamente que não. Vós as guardais nos lugares mais secretos da casa, no canto mais retirado e nos cofres mais seguros, e o lixo deixais no pátio ou na via pública. Ora, se as coisas mais preciosas são escondidas e as de pouco valor são expostas, não é evidente que a Sabedoria, que nosso autor proíbe esconder, tem menos valor do que a Loucura, que ele manda esconder? Eis agora o testemunho que eu invocava: "O homem que esconde sua loucura vale mais do que o homem que esconde sua sabedoria".

As Escrituras sagradas reconhecem ao louco a qualidade da modéstia, enquanto o sábio se julga superior a todos. É assim que entendo o Eclesiastes quando diz no capítulo 10: "Mas o louco que anda pela rua, sendo insensato, crê que todos os outros são loucos como ele". Não é um sinal de grande modéstia igualar todos a si mesmo e, embora todos se sintam orgulhosos de si mesmos, compartilhar com todos os elogios que se recebe? O grande rei Salomão não se envergonhou deste título, ao dizer no capítulo 30: "Sou o mais louco dos homens". E Paulo, o doutor dos gentios, escrevendo aos Coríntios, reivindica deliberadamente o título: "Falo como louco, e o sou mais do que ninguém", como se fosse vergonhoso ser superado em loucura.

Entrementes ouço protestar aos gritos certos doutorzinhos grecizantes, que procuram enganar os mais espertos, isto é, os teólogos de nosso tempo, e publicam seus comentários para deslumbrar as pessoas. Neste grupo encontra-se, se não em primeiro lugar, certamente em segundo, meu amigo Erasmo, que cito com frequência para prestar-lhe homenagem. Citação verdadeiramente louca, dizem eles, e muito digna desta MORIA! O pensamento do Apóstolo está muito longe deste teu devaneio. Suas palavras não significam que ele se considera mais louco do que os outros; mas, depois de dizer: "Eles são ministros de Cristo e eu também o sou", vangloriando-se com isso de ser igual aos outros apóstolos, ele se corrige precisando: "E o sou até mais". Ele se sente não só igual aos outros apóstolos no ministério do Evangelho, mas até um tanto superior. Para se fazer reconhecer como tal, sem ofender os ouvidos com uma palavra arrogante, ele veste o manto da Loucura: "Falo como louco", dando a entender que os loucos têm o privilégio de dizer a verdade sem ofender.

Deixo que eles discutam o sentido que Paulo deu a esta passagem. Eu sigo grandes teólogos, gordos e corpulentos e geralmente muito estimados; assim faz a maioria dos sábios, que prefere errar com eles a andar na verdade com estes que conhecem as três línguas. Os doutorzinhos grecizantes não são levados mais a sério do que as gralhas. De resto, um glorioso teólogo – cujo nome calarei por prudência, senão nossas gralhas logo lançariam contra ele o sarcástico provérbio grego do asno tocando a lira – comentou de maneira magistral e teologal a passagem em questão. Da frase "Falo como louco, e o sou mais do que ninguém" ele extrai uma nova tese, que exigiu uma dialética perfeita, e acrescenta uma nova seção, dando à passagem uma nova interpretação. Citá-lo-ei textualmente, na forma e na substância: "Falo como louco, ou seja, se vos pareço louco ao igualar-me aos falsos apóstolos, vos parecerei menos sábio ainda ao antepor-me a eles". Pouco depois ele esquece seu assunto e passa a um outro.

64. Mas por que gastar minhas forças com um único exemplo? Todos sabem que os teólogos têm o direito de esticar o céu, ou seja, a interpretação das Escrituras sagradas, como uma pele. Vemos em São Paulo passagens contraditórias, mas que, lidas em seu devido lugar, não apresentam contradição alguma. Se podemos confiar em Jerônimo, o homem das cinco línguas, Paulo havia visto por acaso, em Atenas, a inscrição de um altar que ele modificou a favor da fé cristã. Omitindo as palavras que podiam contrariar sua causa, conservou apenas as duas últimas: "AO DEUS DESCONHECIDO" e, mesmo assim, modificando-as um pouco, porque a inscrição completa trazia: "Aos Deuses da Ásia, da Europa e da África, AOS DEUSES DESCONHECIDOS E ESTRANGEIROS". A exemplo dele, acredito eu, os filhos dos teólogos retiram aqui e ali quatro ou cinco palavrinhas e, se necessário, as alteram para acomodá-las em seu proveito. Pouco lhes importa que não haja nenhuma relação com o que precede ou com o que segue, ou até que haja contradição. O procedimento descarado traz tanto sucesso aos teólogos que muitas vezes provoca a inveja dos próprios jurisconsultos.

Não podem eles permitir-se tudo, quando vemos este grande... (eu quase ia proferir o nome, mas novamente receio o provérbio grego do asno tocando a lira) extrair das palavras de Lucas uma sentença que combina tanto com o espírito de Cristo como o fogo combina com a água? Na iminência do perigo supremo, quando os vassalos fiéis se agrupam ao redor de seu senhor para combater com ele com todas as suas forças, o Cristo quis dissuadir os seus de toda confiança nos socorros humanos; e, por isso, perguntou-lhes se lhes faltara alguma coisa ao enviá-los a pregar sem provisões para a viagem, a ponto de não terem nem calçados para proteger os pés das pedras e dos espinhos nem alforje com provisões contra a fome. Tendo os discípulos respondido que nada lhes faltara, acrescentou: "Agora, quem tem bolsa ou alforje ponha-os de lado e quem não tem espada venda sua túnica e compre uma". Como todo o ensinamento de Cristo não é senão clemência, tolerância e desprezo pela vida, quem não percebe claramente o sentido deste preceito? Ele quer desarmar ainda mais seus enviados, de modo que se desfaçam não só dos calçados e do alforje, mas também da túnica, a fim de dedicar-se, nus e inteiramente livres, à missão evangélica; eles precisam adquirir somente uma espada, não aquela que trazem os ladrões e parricidas, mas a espada do espírito, que penetra no mais íntimo do peito e corta fora de um só golpe todas as paixões, não deixando no coração senão a piedade.

Mas vede como aquele célebre teólogo distorce esta passagem. Para ele, a espada significa a defesa contra a perseguição e a bolsa significa uma suficiente provisão de víveres, como se Cristo, tendo mudado completamente de opinião, lamentasse ter enviado seus discípulos com um aparato tão pouco régio e se retratasse de suas instruções anteriores. Teria esquecido que lhes havia garantido a bem-aventurança ao preço de afrontas, ultrajes e suplícios, que lhes proibira resistir aos maus, porque a bem-aventurança é para os mansos e não para os violentos, e que lhes apresentara como modelo os lírios e os pássaros. Ele se recusaria agora a deixá-los partir sem espada e lhes recomendaria vender, se necessário, a túnica para comprar uma e andar antes nus do que desarmados. Pelo termo "espada" nosso teólogo entende tudo o que pode repelir um ataque e por "bolsa" tudo o que serve para satisfazer as necessidades da vida. E assim este intérprete do pensamento divino nos mostra apóstolos munidos de lanças, balistas, fundas e bombardas, para ir pregar o Crucificado; sobrecarrega-os também de bolsas, alforjes e bagagens para nunca deixarem a hospedaria sem estar bem alimentados. Também não se perturba por ouvir, pouco depois, o Mestre ordenar em tom de censura que repusessem na bainha a espada que Ele tão vivamente teria recomendado comprar. Nem o impressiona o fato de que nunca se ouviu dizer que os apóstolos tenham usado espadas ou escudos contra a violência dos pagãos, o que certamente teriam feito se Cristo, conforme a interpretação deste doutor, o tivesse ordenado.

Um outro doutor, que não é dos menos ilustres e cujo nome omito por respeito, confundiu a pele de São Bartolomeu esfolado com as tendas de que fala Habacuc: "As peles da terra de Madiã se agitarão". Assisti há poucos dias, como faço frequentemente, a uma controvérsia teológica. Alguém queria saber qual texto das Escrituras sagradas ordenava queimar os hereges em vez de convencê-los pela discussão. Um ancião de cara séria, cuja arrogância indicava tratar-se de um teólogo, respondeu com veemência que São Paulo introduziu esta lei quando escreveu: "Evita (*devita*) o herege, depois de repreendê-lo uma ou duas vezes". Como repetisse muitas vezes estas palavras, a maioria dos ouvintes ficou espantada e se perguntava o que aconteceu com esse homem. Finalmente ele explicou que o herege deve ser suprimido da vida (*de vita*), entendendo a palavra do Apóstolo como *de vita* (= da vida) em vez de *devita* (= evita). Alguns ouvintes começaram a rir, mas houve quem considerasse este comentário perfeitamente teológico. E enquanto alguns, embora poucos, reclamavam, entrou em cena, como se diz, um advogado de Tênedos e de autoridade irrefragável: "Prestai atenção. Está escrito: 'Não deixeis viver o malfeitor (*maleficus*)'. Ora, o herege é um malfeitor. Portanto etc." Todos os presentes admiraram o engenhoso silogismo do homem e puseram-se de seu lado. A ninguém ocorreu que esta lei se refere aos feiticeiros, adivinhos e magos, que os hebreus em sua língua chamam de *mekaschephim*, que se traduz por *maleficus*. Se assim não for, a sentença de morte se aplicaria também à fornicação e à embriaguez.

65. Mas seria tolice continuar com estas coisas. O tema é tão vasto que não caberia nem nos volumes de Crisipo e Dídimo. Ao mostrar-vos o que se permitem estes divinos teólogos, eu só queria obter vosso perdão indulgente também para mim, pobre e inútil teóloga, se vos apresento citações não tão exatas.

Voltemos a Paulo. "Vós suportais de bom grado os loucos", disse ele referindo-se a si mesmo; e novamente: "Aceitai-me como louco";

e depois: "Não falo segundo Deus, mas como se estivesse louco"; e ainda: "Nós somos loucos por amor de Cristo". Que elogios da Loucura vindos da boca de tão grande autor! Ele vai mais longe e prescreve a Loucura como necessária e indispensável para a salvação: "Quem entre vós se acredita sábio torne-se louco para ser sábio". E em Lucas, Jesus chama de loucos os dois discípulos a quem Ele se ajuntou no caminho de Emaús. Creio que isto não é de estranhar, já que nosso divino Paulo atribui ao próprio Deus um grãozinho de loucura, quando diz: "O que é loucura de Deus é mais sábio do que os homens". Orígenes explica, na verdade, que esta loucura não pode ser medida pela inteligência humana, o que se concilia com o seguinte: "A palavra da Cruz é loucura para os que se perdem".

Mas por que fatigar-me apresentando tantos testemunhos? O próprio Cristo, nos Salmos sagrados, diz a seu Pai: "Tu conheces minha loucura". De resto, não é sem motivo que os loucos são muito caros a Deus e vou explicar por quê. Os príncipes suspeitam das pessoas demasiadamente sensatas e têm aversão a elas – como Júlio César odiava Brutus e Cássio e não temia o ébrio Antônio; Nero odiava Sêneca e Dionísio odiava Platão – e, pelo contrário, amam apenas os espíritos mais grosseiros e ignorantes. Da mesma forma, Cristo detesta e não cessa de reprovar estes sábios que põem a confiança em sua sabedoria. Paulo o afirma claramente ao dizer: "Deus escolheu o que para o mundo é loucura" e ainda: "Deus quis salvar o mundo pela loucura", já que não podia restabelecê-lo pela sabedoria. O próprio Deus o exprime muito bem pela boca do profeta: "Destruirei a sabedoria do sábio e condenarei a prudência dos prudentes". E Cristo chega a dar graças a Deus por ter ocultado o mistério da salvação aos sábios e tê-lo revelado apenas aos pequeninos, ou seja, aos loucos; porque, no grego, a palavra para indicar os pequeninos é *nêpiois* (crianças ou insensatos), que ele opõe a *sophois* (sábios). Acrescentemos todas as passagens do Evangelho em que Cristo acusa os fariseus, os escribas e doutores da lei, e defende diligentemente a plebe ignorante. O que significam as palavras: "Ai de vós, escribas e fariseus" senão: "Ai de vós, sábios"?

Cristo deleitava-se, sobretudo, na companhia dos pequeninos, das mulheres e dos pescadores. E entre os animais, ele prefere os que mais se opõem à astúcia da raposa. Por isso, escolheu o asno por montaria, quando teria podido, se quisesse, montar sem perigo um leão. E o Espírito Santo desceu sob a forma de uma pomba e não de uma águia ou de um gavião. Além disso, as Escrituras sagradas mencionam frequentemente cervos, cabritos e cordeiros. E note-se que Cristo dá o nome de ovelhas àqueles dentre os seus que estão destinados à vida imortal. Ora, nenhum animal é mais estúpido do que a ovelha. Aristóteles assegura que o provérbio "cabeça de ovelha", tirado da estupidez deste animal, se aplica como injúria às pessoas estúpidas e ignorantes. Cristo se declara pastor deste rebanho e gosta de ser chamado de cordeiro, como o designa João: "Eis o cordeiro de Deus!", expressão esta que ocorre frequentemente no Apocalipse.

O que significa isto senão que a loucura existe em todos os mortais, mesmo nos piedosos? E o próprio Cristo, para socorrer a loucura dos mortais, embora fosse a sabedoria do Pai, tornou-se de certa maneira louco quando, assumindo a natureza humana, "apresentou-se sob a forma de um homem", ou quando se fez pecado para curar dos pecados. E não quis curar senão pela loucura da

Cruz, com a ajuda de apóstolos ignorantes e grosseiros. Recomenda-lhes cuidadosamente a Loucura quando, dissuadindo-os da Sabedoria, lhes propõe como exemplo as crianças, os lírios, a semente de mostarda e os pássaros, coisas sem inteligência e sem razão e que se guiam unicamente pela natureza, sem artifícios nem preocupação.

Além disso, proíbe-lhes preocupar-se com o que irão dizer diante dos tribunais; proíbe-lhes também perscrutar os tempos e os momentos, e mesmo confiar em sua prudência, para depender somente dele.

Por isso Deus, o arquiteto do universo, proibiu com ameaças provar da árvore da ciência, como se a ciência fosse o veneno da felicidade. E Paulo condena abertamente a ciência como algo pernicioso e que alimenta o orgulho. Bernardo, em minha opinião, o seguiu quando, ao designar o monte onde Lúcifer estabeleceu sua morada, chamou-o: Monte da Ciência.

Eis outro argumento que é preciso não esquecer. A Loucura encontra graça no céu, porque só ela obtém a remissão dos pecados, enquanto o sábio não é perdoado. Por isso, os que pedem perdão, mesmo que tenham pecado conscientemente, invocam o pretexto e o patrocínio da Loucura.

Assim Aarão implora o perdão para sua esposa, se não me engano no livro dos Números, dizendo: "Eu vos suplico, meu Senhor, não nos imputeis este pecado que cometemos por loucura". Da mesma forma também Saul pede desculpas a Davi: "Parece que agi como um louco". E Davi, por sua vez, tenta apaziguar o Senhor: "Eu te peço, Senhor, apaga a iniquidade de teu servo, porque agi como um louco", convencido de que não obteria o perdão a não ser alegando a loucura e a ignorância. Mas o que mais impressiona é o pedido feito por Cristo na cruz, ao rezar por seus inimigos: "Pai, perdoa-lhes". A única desculpa que Ele apresenta em favor deles é a ignorância: "porque não sabem o que fazem". Da mesma forma, Paulo escreve a Timóteo: "Agi por ignorância em minha incredulidade e por isso obtive a misericórdia de Deus". O que significa "agi por ignorância" senão: agi por loucura e não por malícia? O que significa "por isso obtive a misericórdia de Deus" senão que não a teria obtido se não tivesse implorado o patrocínio da Loucura? Está do nosso lado também o místico salmista que deixei de citar no lugar adequado: "Não recordes os pecados de minha juventude nem as minhas ignorâncias". Ouvistes sua dupla desculpa: sua idade, da qual costumo ser a companheira, e as ignorâncias, no plural, o que indica um grande número, para mostrar toda a força de sua loucura.

66. Para não divagar sem fim, e para resumir: a religião cristã parece ter certo parentesco com uma espécie de loucura e muito pouca relação com a sabedoria. Se quereis provas, observai em primeiro lugar que as crianças, os velhos, as mulheres e os tolos sentem mais prazer do que os outros nas cerimônias e nas coisas religiosas e que, por simples impulso da natureza, querem estar sempre perto dos altares. Em segundo lugar, podeis ver que os primeiros fundadores da religião, pessoas de admirável simplicidade, foram inimigos declarados das letras e das ciências. Por fim, os loucos mais extravagantes não são aqueles que foram tomados inteiramente pelo ardor da piedade cristã? Esbanjam seus bens, não se importam com as injúrias, deixam-se enganar, não fazem distinção entre

amigos e inimigos, têm horror ao prazer, fartam-se de jejuns, vigílias, lágrimas, trabalhos e ultrajes, detestam a vida e desejam unicamente a morte; numa palavra, parecem privados de todo senso comum, como se seu espírito vivesse em outro lugar e não em seu corpo. O que é isto senão estar louco? Por isso não causa estranheza que os apóstolos tenham parecido embriagados com vinho doce e que o juiz Festo tenha considerado Paulo um louco.

Mas, já que revesti de uma vez a pele do leão, ensinar-vos-ei mais uma coisa: a felicidade que os cristãos buscam, ao preço de tantas labutas, não é senão uma espécie de demência e de loucura. Não tomeis a mal o que digo, considerai antes a realidade. Em primeiro lugar, os cristãos têm algo em comum com os platônicos: a crença de que o espírito, mergulhado e preso nos laços do corpo, e embaraçado pelo peso da matéria, quase não consegue contemplar a verdade como ela é e gozar dela. Por isso Platão define a filosofia como uma meditação da morte, porque ela afasta a alma das coisas visíveis e corporais, o que também a morte faz. Por isso, enquanto a alma utiliza normalmente os órgãos do corpo, ela é considerada sadia; mas quando, rompendo os laços, ela tenta libertar-se e sonha fugir de sua prisão, dá-se a isto o nome de loucura. Se isto acontece por uma doença e por um defeito orgânico, todos concordam que se trata de loucura. E, no entanto, vemos este tipo de homens predizer o futuro, saber línguas e ciências que antes nunca haviam aprendido e manifestar em si algo de divino. Não há dúvida de que isto acontece porque a alma, um pouco mais livre do contacto do corpo, começa a desenvolver seu vigor nativo. A mesma causa, acredito eu, costuma produzir efeitos semelhantes nos moribundos, que às vezes parecem pessoas inspiradas e falam coisas maravilhosas.

Se isto ocorre pelo amor à piedade, talvez não seja o mesmo tipo de loucura, mas é tão parecida que a maioria dos homens a considera simples loucura, sobretudo porque é pequeno o número destes pobres homens que, por seu gênero de vida, se mantêm totalmente afastados do gênero humano.

Suspeito que com eles acontece aquilo que, segundo a ficção de Platão, aconteceu aos prisioneiros acorrentados na caverna, onde enxergavam apenas as sombras dos objetos. Um deles fugiu e, ao voltar à caverna, conta aos companheiros que viu os objetos reais e lhes diz que eles estão muito enganados ao acreditarem que não existe nada além destas míseras sombras. Tendo-se tornado sábio, ele sente pena dos companheiros e lamenta a loucura que os mantém em tão grave ilusão. Eles, por sua vez, zombam de seu delírio e o expulsam. Acontece o mesmo com o comum dos mortais: admiram ao máximo as coisas mais corpóreas e acreditam que são quase as únicas que existem. As pessoas piedosas, pelo contrário, desprezam tudo o que diz respeito ao corpo e se entregam totalmente à contemplação das coisas invisíveis. Os primeiros ocupam-se em primeiro lugar com as riquezas, em seguida com o conforto e os prazeres do corpo e por último com sua alma, na qual, aliás, a maioria não acredita, porque seus olhos não a enxergam. Os outros, inversamente, voltam todo seu esforço primeiramente para Deus, o mais simples de todos os seres, e depois para o objeto que mais se aproxima dele, ou seja, a alma; não se preocupam com o corpo, desprezam o dinheiro e fogem dele como de uma doença. Ou, se são obrigados a ocupar-se dele, o fazem a contragosto e com repugnância. Eles têm estas coisas como se não as tivessem, as possuem como se não as possuíssem.

Constatamos em todas as coisas diversos graus, a respeito dos quais há divergências entre eles. Embora todos os nossos sentidos estejam ligados ao corpo, alguns são mais materiais, como o tato, a audição, a visão, o olfato, o paladar. Outros estão menos ligados ao corpo, como a memória, a inteligência, a vontade. Naquela faculdade onde a alma se exercita, ali ela é forte. Os homens piedosos, tendo dirigido toda a força da alma aos objetos mais estranhos aos sentidos grosseiros, chegam a embotá-los e aniquilá-los. As pessoas comuns, pelo contrário, são muito boas nestes e fracas nos outros. Assim, ouvimos dizer que alguns homens santos chegaram a beber óleo em lugar de vinho. Além disso, entre as paixões da alma, algumas dependem mais do corpo, como o apetite carnal, a necessidade de alimento e de sono, a cólera, a soberba, a inveja. Contra estas os piedosos travam uma guerra sem tréguas, ao passo que as pessoas comuns acreditam que sem elas é impossível viver.

Existem, em seguida, paixões médias e como que naturais, como o amor à pátria, a ternura para com os filhos, os pais e os amigos. O comum das pessoas lhes dá grande importância, ao passo que os piedosos procuram arrancá-las do coração ou então elevá-las à parte superior da alma. Eles amam o pai, não enquanto pai – porque este gerou apenas o corpo, que também se deve ao Pai divino –, mas por ele ser um homem bom, no qual brilha a imagem daquela suprema inteligência à qual dão o nome de bem supremo e fora da qual não veem nada digno de ser amado e desejado. Por esta régua medem todos os deveres da vida. Se não é possível desprezar sempre as coisas visíveis, deve-se pelo menos considerá-las infinitamente inferiores às coisas invisíveis. Dizem também que nos sacramentos e nos próprios exercícios de piedade encontra-se a distinção entre corpo e espírito. No jejum, por exemplo, acreditam que pouco adianta só abster-se de carne e de uma refeição – o que para as pessoas comuns constitui o essencial do jejum –, mas é preciso ao mesmo tempo mortificar as paixões, refrear a cólera e o orgulho, de maneira que a alma, menos sobrecarregada pelo peso do corpo, chegue ao gozo e à posse dos bens celestes.

Aplicam o mesmo raciocínio à Eucaristia e à missa. Sem desdenhar o aspecto exterior das cerimônias, eles o consideram pouco útil, ou até pernicioso, se não contiver o elemento espiritual que estes sinais visíveis representam. A missa representa a morte de Cristo, que os cristãos devem reproduzir em si domando, extinguindo e sepultando, por assim dizer, as paixões do corpo, a fim de renascer para uma vida nova e tornar-se um com ele e também entre si. Assim age e assim pensa o homem piedoso. As pessoas comuns, pelo contrário, acreditam que a missa não é senão estar presente diante do altar, e o mais perto possível, escutar o som das vozes e assistir a outras cerimônias do gênero.

Acabo de apresentar alguns exemplos, mas é no conjunto de sua vida, e sem hipocrisia, que o homem piedoso se afasta das coisas corporais e se eleva às coisas eternas, invisíveis e espirituais. Existe, portanto, um grande desacordo entre os dois lados a respeito de todas as coisas e uns e outros se acusam mutuamente de serem loucos. Mas, a meu ver, a palavra se aplica mais exatamente aos piedosos do que às pessoas comuns.

67. Isto ficará mais evidente quando vos demonstrarei em poucas palavras, como prometi, que esta recompensa suprema a que aspiram não é senão uma espécie de loucura. Considerai, em primeiro lugar, que Platão teve um sonho semelhante, quando escreveu que a loucura dos amantes é a mais feliz de todas. Com efeito, o amante apaixonado já não vive em si, mas no objeto que ele ama; quanto mais se afasta de si para fundir-se com esse objeto amado, tanto mais sente aumentar a alegria e a felicidade. Assim, quando o espírito pensa em evadir-se do corpo e renuncia ao uso normal de seus órgãos, dizemos com razão que isto é loucura. Não querem dizer outra coisa as expressões correntes: "Ele está fora de si", "Volte a si", "Ele voltou a si". Na verdade, quanto mais perfeito é o amor, tanto maior e mais ditosa é sua loucura.

Qual será, portanto, esta vida dos habitantes do céu, à qual aspiram tão ardentemente as almas piedosas? O espírito, por ser vitorioso e mais forte, absorverá o corpo; e isto será tanto mais fácil em parte porque já está em seu reino, e em parte porque já o purificou e amansou durante a vida, preparando-o para esta transformação. Depois o espírito será absorvido maravilhosamente pela Inteligência suprema, que é infinitamente superior. Assim o homem inteiro se encontrará fora de si mesmo e a única razão de sua felicidade será não mais se pertencer e participar de algo inefável proveniente do bem supremo que atrai a si todas as coisas.

É verdade que esta felicidade só será completa no momento em que as almas dotadas de imortalidade retornarem aos antigos corpos. Mas, já que a vida dos homens piedosos não é senão uma meditação e uma espécie de sombra daquela vida celestial, acontece-lhes às vezes experimentar antecipadamente o sabor e o resplendor daquela recompensa. É apenas uma gotinha dessa fonte da felicidade eterna, mas supera infinitamente todos os prazeres do corpo, mesmo que todas as delícias dos mortais fossem reunidas numa só, a tal ponto o espiritual supera o corporal e o invisível supera o visível. É a promessa do profeta: "O olho nunca viu, o ouvido nunca ouviu e nunca penetrou no coração do homem aquilo que Deus preparou para os que o amam". Esta é a melhor parte da Loucura, que não é tirada, mas aperfeiçoada, ao passar desta vida para a outra.

Os poucos que tiveram o privilégio destes sentimentos experimentam uma espécie de loucura: falam coisas incoerentes e estranhas à linguagem comum dos homens, pronunciam palavras sem sentido e sua fisionomia muda a cada instante. Ora alegres, ora tristes, riem, choram, suspiram; numa palavra, estão realmente fora de si. Voltando a si, não sabem dizer aonde foram, se estavam no corpo ou fora do corpo, acordados ou dormindo. Esqueceram o que ouviram, o que viram, o que disseram. Só sabem, como que através de um nevoeiro ou num sonho, que foram muito felizes durante sua loucura. Por isso deploram seu retorno à razão e o que mais desejam é permanecer para sempre neste tipo de loucura. É uma pequena degustação da felicidade futura!

68. Mas já há muito tempo me esqueci de mim mesma e "passei dos limites". Se achais em meu discurso demasiada petulância e loquacidade, considerai que foi a Loucura, e ao mesmo tempo uma mulher, quem vos falou. Lembrai-vos, entretanto, do provérbio grego: "Muitas vezes até

um louco raciocina muito bem", a menos que penseis que este texto exclui as mulheres.

Vejo que esperais uma conclusão. Mas sois muito loucos se pensais que me lembro de alguma coisa do que eu disse, depois de tanto palavrório. Eis um provérbio antigo: "Odeio o comensal que se lembra"; e um novo: "Odeio o ouvinte que se lembra". Portanto, adeus! Aplaudi, vivei e bebei, ilustres iniciados nos mistérios da Loucura!

Fim.

Vozes de Bolso

- *Assim falava Zaratustra* – Friedrich Nietzsche
- *O Príncipe* – Nicolau Maquiavel
- *Confissões* – Santo Agostinho
- *Brasil: nunca mais* – Mitra Arquidiocesana de São Paulo
- *A arte da guerra* – Sun Tzu
- *O conceito de angústia* – Søren Aabye Kierkegaard
- *Manifesto do Partido Comunista* – Friedrich Engels e Karl Marx
- *Imitação de Cristo* – Tomás de Kempis
- *O homem à procura de si mesmo* – Rollo May
- *O existencialismo é um humanismo* – Jean-Paul Sartre
- *Além do bem e do mal* – Friedrich Nietzsche
- *O abolicionismo* – Joaquim Nabuco
- *Filoteia* – São Francisco de Sales
- *Jesus Cristo Libertador* – Leonardo Boff
- *A Cidade de Deus – Parte I* – Santo Agostinho
- *A Cidade de Deus – Parte II* – Santo Agostinho
- *O conceito de ironia constantemente referido a Sócrates* – Søren Aabye Kierkegaard
- *Tratado sobre a clemência* – Sêneca
- *O ente e a essência* – Santo Tomás de Aquino
- *Sobre a potencialidade da alma* – De quantitate animae – Santo Agostinho
- *Sobre a vida feliz* – Santo Agostinho
- *Contra os acadêmicos* – Santo Agostinho
- *A Cidade do Sol* – Tommaso Campanella
- *Crepúsculo dos ídolos ou Como se filosofa com o martelo* – Friedrich Nietzsche
- *A essência da filosofia* – Wilhelm Dilthey
- *Elogio da loucura* – Erasmo de Roterdã
- *Utopia* – Thomas Morus
- *Do contrato social* – Jean-Jacques Rousseau
- *Discurso sobre a economia política* – Jean-Jacques Rousseau
- *Vontade de potência* – Friedrich Nietzsche
- *A genealogia da moral* – Friedrich Nietzsche
- *O banquete* – Platão
- *Os pensadores originários* – Anaximandro, Parmênides, Heráclito
- *A arte de ter razão* – Arthur Schopenhauer
- *Discurso sobre o método* – René Descartes
- *Que é isto – A filosofia?* – Martin Heidegger
- *Identidade e diferença* – Martin Heidegger
- *Sobre a mentira* – Santo Agostinho
- *Da arte da guerra* – Nicolau Maquiavel
- *Os direitos do homem* – Thomas Paine
- *Sobre a liberdade* – John Stuart Mill

- *Defensor menor* – Marsílio de Pádua
- *Tratado sobre o regime e o governo da cidade de Florença* – J. Savonarola
- *Primeiros princípios metafísicos da Doutrina do Direito* – Immanuel Kant
- *Carta sobre a tolerância* – John Locke
- *A desobediência civil* – Henry David Thoureau
- *A ideologia alemã* – Karl Marx e Friedrich Engels
- *O conspirador* – Nicolau Maquiavel
- *Discurso de metafísica* – Gottfried Wilhelm Leibniz
- *Segundo tratado sobre o governo civil e outros escritos* – John Locke
- *Miséria da filosofia* – Karl Marx
- *Escritos seletos* – Martinho Lutero
- *Escritos seletos* – João Calvino
- *Que é a literatura?* – Jean-Paul Sartre
- *Dos delitos e das penas* – Cesare Beccaria
- *O anticristo* – Friedrich Nietzsche
- *À paz perpétua* – Immanuel Kant
- *A ética protestante e o espírito do capitalismo* – Max Weber
- *Apologia de Sócrates* – Platão
- *Da república* – Cícero
- *O socialismo humanista* – Che Guevara
- *Da alma* – Aristóteles
- *Heróis e maravilhas* – Jacques Le Goff
- *Breve tratado sobre Deus, o ser humano e sua felicidade* – Baruch de Espinosa